Moll, Karl Bernha

Hymnarium Bluethen lateinischer Kirchenpoesie zur Erbauung

Moll, Karl Bernhard

Hymnarium Bluethen lateinischer Kirchenpoesie zur Erbauung

Inktank publishing, 2018

www.inktank-publishing.com

ISBN/EAN: 9783750149625

ᶜHYMNARIUM.

Blüthen

lateinischer Kirchenpoesie

zur

Erbauung.

———

Mit Vorwort

von

Dr· Carl Bernh. Moll,

General - Superintendent der Provinz Preussen.

———⋀⋁⋀⋁⋁⋁⋁———

Halle,

Verlag von H. Petersen.

1861.

Vorrede.

Nach den Bemühungen von Joh. Georg Walch (de hymnis ecclesiae apostolicae, Jena 1737 und Miscellanea sacra, Amst. 1744), Joh. Heinr. von Seelen (de poesie christiana non a tertio post Christum natum seculo demum, sed a primo et secundo deducenda, Lub. 1754) und Pet. Zorn (de hymnorum ecclesiae latinae collectoribus in seinen opusc. sacr., Alt. 1743) hat die Arbeit der Sammlung und Aufhellung der lateinischen Liederdichtung der christlichen Kirche zumal der ältesten Zeit lange geruht. Seitdem jedoch Joh. Jac. Rambach im ersten Bande seiner Anthologie christlicher Gesänge, Altona 1817 und C. A. Björn (hymni veterum patrum christianae ecclesiae collecti, Hafn. 1818) die Aufmerksamkeit aufs Neue zu diesen Schätzen gewendet, ist die Arbeit in umfassenderem Maasse und mit glücklichstem Erfolge besonders durch Joseph Kehrein (lateinische Anthologie aus den christlichen Dichtern, Frankf. 1840), Herm. Adalb. Daniel (The-

saurus hymnologicus, Hal. 1841 sq.) und
F. J. Mone (Lateinische Hymnen des Mit-
telalters aus Handschriften herausgegeben
und erklärt, Freiburg im Breisgau 1853 sq.)
wieder aufgenommen worden. Es liegt jetzt
ein so reicher und interessanter Stoff aus
den verschiedenen Jahrhunderten vor, dass
der Versuch einer, nicht nach chronologi-
schen, sondern nach den Materien geordne-
ten Auswahl des Besten und Lehrreichsten
aus diesem Gebiete zum Gebrauche für
Theologen, denen weder die Quellen noch
die grösseren Sammelwerke zur Hand sind,
wohl gerechtfertigt sein dürfte.

Es gereicht mir zur besonderen Freude,
bei meinem durch höhere Berufung in eine
andere Amtsstellung innerhalb der vaterlän-
dischen Kirche veranlassten Scheiden aus
zehnjähriger akademischer Wirksamkeit in
Halle einen solchen Versuch auf Wunsch
des thätigen Verlegers dem bezeichneten
Leserkreise empfehlen zu können.

Halle, am 3. August 1860.

D. Moll.

INDEX.

E R R A T A.

Pag. 7 Z. 2: pedis lies petis.
„ 35 Z. 4 v. o.: Te l. Tu.
„ 42 Z. 4 v. o.: l. flumina.
„ 42 Z. 7: meum l. mecum.
„ 43 Z. 17: gloriae l. gloria.
„ 44 Z. 4 v. u.: avectas l. affectas.
„ 58 Z. 7 v. o.: recondo l. reconde.
„ 63 Z. 11: astistentes l. assistentes.
„ 65 Z. 7: eruuntur l. fruuntur.
„ 72 Z. 18: Deo l. Dei.
„ 79 Z. 7: tartaro l. tartara.
„ 84 Z. 14: Nona l. Nova.
„ 113 Z. 6 v. u.: caharitate l. caritate.

HYMNI MATUTINI.

1.

Lucis largitor splendide,
Cuius sereno lumine
Post lapsa noctis tempora
Dies refusus panditur.

Tu verus mundi Lucifer,
Non is, qui parvi sideris,
Venturae lucis nuntius
Angusto fulget lumine.

Sed toto sole clarior,
Lux ipse totus et dies,
Interna nostri pectoris
Illuminans praecordia.

Adesto rerum conditor,
Paternae lucis gloria,
Cuius amota gratia
Pavescunt nostra corpora.

Tuoque plena spiritu,
Secum Deum gestantia,
Ne rapientis perfidi
Diris patescant fraudibus.

Ut inter actus sacculi,
Vitae quos usus exigit,
Omni carentes crimine
Tuis vivamus legibus.

Probrosas mentis castitas
Carnis vincat libidines,
Sanctumque puri corporis
Delubrum servet spiritus.

Haec spes precantis animae,
Haec sunt votiva munera,
Ut matutina nobis sit
Lux in noctis custodiam.

2.

Aeterne rerum conditor
Noctem diemque qui regis
Et temporum dans tempora
Ut alleves fastidium.

Praeco diei iam sonat
Noctis profundae pervigil,
Nocturna lux viantibus
A nocte noctem segregans.

Hoc excitatus Lucifer
Solvit polum caligine,
Hoc omnis errorum chorus
Viam nocendi deserit.

Hoc nauta vires colligit
Pontique mitescunt freta,
Hoc ipsa petra ecclesiae
Canente culpam diluit.

Surgamus ergo strenue,
Gallus iacentes excitat,
Et somnolentos increpat,
Gallus negantes arguit.

Gallo canente spes redit,
Aegris salus refunditur,
Mucro latronis conditur,
Lapsis fides revertitur.

Iesu, labantes respice,
Et nos videndo corrige;
Si respicis lapsi stabunt
Fletuque culpa solvitur.

Tu lux refulge sensibus
Mentisque somnum discute,
Te nostra vox primum sonet.
Et ore psallamus tibi.

3.

Splendor paternae gloriae,
De luce lucem proferens,
Lux lucis et fons luminis
Dies dierum illuminans.

A *

Verusque sol illabere,
Micans nitore perpeti:
Iubarque sancti spiritus
Infunde nostris sensibus.

Votis vocemus et patrem,
Patrem perrennis gloriae,
Patrem potentis gratiae:
Culpam releget lubricam.

Informet actus strenuos,
Dentem retundat invidi
Casus secundet asperos,
Donet gerendi gratiam.

Mentem gubernet et regat
Casto, fideli corpore,
Fides calore ferveat,
Fraudis venena nesciat.

Christusque nobis sit cibus,
Potusque noster sit fides:
Laeti bibamus sobriam
Ebrietatem spiritus.

Laetus dies. hic transeat,
Pudor sit,ut diluculum,
Fides velut meridies,
Crepusculum mens nesciat.

Aurora cursus provehit,
Aurora totus prodeat,
In patre totus filius
Et totus in verbo pater.

4.

Ales diei nuntius
Lucem propinquam praecinit,
Nos excitator mentium
Iam Christus ad vitam vocat.

Auferto, clamat, lectulos
Aegros, soporos, desides:
Casteque recte ac sobrie
Vigilate, iam sum proximus.

Iesum ciamus vocibus
Flentes, precantes sobrie:
Intenta supplicatio
Dormire cor mundum vetat.

Tu Christe somnum disiice,
Tu rumpe noctis vincula:
Tu solve peccatum vetus:
Novumque lumen ingere.

5.

DIE DOMINICA.

Primo dierum omnium
Quo mundus exstat conditus,
Vel quo resurgens conditor
Nos morte victa liberat.

Pulsis procul torporibus
Surgamus omnes ocyus,
Et nocte quaeramus pium
Sicut prophetam novimus.

Nostras preces ut audiat
Suamque dextram porrigat,
Et expiatos sordibus
Reddat polorum sedibus.

Ut quique sacratissimo
Huius diei tempore
Horis quietis psallimus,
Donis beatis muneret.

Iam nunc paterna claritas,
Te postulamus affatim:
Absit libido sordidans,
Omnisque actus noxius.

Ne foeda sit vel lubrica
Compago nostri corporis,
Per quam averni ignibus
Ipsi crememur acrius.

Ob hoc redemptor quaesumus,
Ut probra nostra diluas,
Vitae perennis commoda
Nobis benigne conferas.

Quo carnis actu exules
Effecti ipsi coelibes
Ut praestolamur cernui
Melos canamus gloriae.

HYMNI AD VESPERAS.

6.

Deus creator omnium
Polique rector, vestiens
Diem decoro lumine,
Noctem soporis gratia.

Artus solutos ut quies
Reddat laboris usui,
Mentesque fessas allevet
Luctusque solvat anxios.

Grates peracto iam die
Et noctis exortu preces,
Votis reos ut adiuves,
Hymnum canentes solvimus.

Te cordis ima concinant,
Te vox canora concrepet,
Te diligat castus amor,
Te mens adoret sobria.

Ut cum profunda clauserit
Diem caligo noctium,
Fides tenebras nesciat
Et nox fide reluceat.

Dormire mentem ne sinas,
Dormire culpa noverit,
Castos fides refrigerans
Somni vaporem temperet.

Exuta sensu lubrico
Te cordis alta somnient,
Nec hostis invidi dolo
Pavor quietos suscitet.

Christum rogemus et patrem
Christi patrisque spiritum,
Unum potens per omnia
Fove precantes Trinitas.

7.

Cultor Dei memento,
Te fontis et lavacri
Rorem subisse sanctum,
Te chrismate innovatum.

Fac, cum vocante somno
Castum pedis cubile,
Frontem locumque cordis
Crucis figura signet.

Crux pellit omne crimen,
Fugiunt crucem tenebrae,
Tali dicata signo
Mens fluctuare nescit.

Procul o procul vagantum
Portenta somniorum,
Procul esto pervicaci
Praestigiator astu.

O tortuose serpens,
Qui mille per macandros
Fraudesque flexuosas
Agitas quieta corda:

Discede, Christus hic est,
Hic Christus est, liquesce:
Signum, quod ipse nosti,
Damnat tuam catervam.

Corpus licet fatiscens
Iaceat recline paulum,
Christum tamen sub ipso
Meditabimur sopore.

8.

O lux beata trinitas
Et principalis unitas,
Iam sol recedit igneus:
Infunde lumen cordibus.

Te mane laudum carmine
Te deprecemur vesperi,
Te nostra supplex gloria
Per cuncta laudet saecula.

9.

Christe, qui lux es et dies,
Noctis tenebras detegis,
Lucisque lumen crederis
Lumen beatum praedicans.

Precamur sancte domine
Defende nos in hac nocte,
Sit nobis in te requies,
Quietam noctem tribue.

Ne gravis somnus irruat,
Nec hostis nos surripiat,
Nec caro illi consentiens,
Nos tibi reos statuat.

Oculi somnum capiant
Cor ad te semper vigilat,

Dextera tua protegat
Famulos qui te diligunt.

Defensor noster adspice,
Insidiantes reprime,
Guberna tuos famulos
Quos sanguine mercatus es.

Memento nostri domine
In gravi isto corpore,
Qui es defensor animae
Adesto nobis domine.

HYMNI IN ADVENTU.

10.

Veni redemptor gentium,
Ostende partum virginis,
Miretur omne saeculum:
Talis decet partus Deum.

Non ex virili semine,
Sed mystico spiramine
Verbum Dei factum est caro,
Fructusque ventris floruit.

Alvus tumescit virginis,
Claustrum pudoris permanet,
Vexilla virtutum micant,
Versatur in templo Deus.

Procedens de thalamo suo,
Pudoris aula regia,
Geminae gigas substantiae
Alacris ut currat viam.

Egressus eius a patre,
Regressus eius ad patrem,
Excursus usque ad inferos,
Recursus ad sedem Dei.

Aequalis aeterno patri
Carnis tropaeo accingere,
Infirma nostri corporis
Virtute firmans perpetim.

Praesepe iam fulget tuum
Lumenque nox spirat novum,
Quod nulla nox interpolet
Fideque iugi luceat.

11.

Mittit ad virginem
Non quemvis angelum,
Sed fortitudinem
Suam, archangelum,
Amator hominis.

Fortem expediat
Pro nobis nuntium,

Naturae faciat
. Ut praeiudicium
In partu virginis.

Naturam superat
Natus rex gloriae,
Regnat et imperat
Et zyma scoriae
Tollit de medio.

Superbientium
Terat fastigia,
Colla sublimium
Calcet vi propria
Potens in proelio.

Foras eiiciat
Mundanum principem,
Matremque faciat
Secum participem
Patris imperii.

Exi qui mitteris,
Haec dona dissere,
Revela veteris
Velamen literae
Virtute nuntii.

Accede, nuncia,
Dic A v.e cominus,
Dic plena gratia,
Dic tecum dominus
Et dic Ne timeas.

Virgo suscipias
Dei depositum,   .
In quo perficias
Castum propositum
Et votum teneas.

Audit et suscipit
Puella nuntium
Credit et concipit
Et parit filium
Sed admirabilem.

Consiliarium
Humani generis
Et deum fortium
Et patrem posteris,
In fide stabilem.

HYMNI IN FESTO NATIVITATIS DOMINI.

12.

A solis ortus cardine
Ad usque terrae limitem
Christum canamus principem,
Natum Maria virgine.

Beatus auctor saeculi
Servile corpus induit,
Ut carne carnem liberans
Ne perderet quos condidit.

Clausae parentis viscera
Coelestis intrat gratia,
Venter puellae baiulat
Secreta quae non noverat.

Domus pudici pectoris
Templum repente fit Dei;
Intacta, nesciens virum
Verbo concepit filium.

Enixa est puerpera
Quem Gabriel praedixerat,
Quem matris alvo gestiens
Clausus Ioannes senserat.

Foeno iacere pertulit,
Praesepe non abhorruit,
Parvoque lacte pastus est
Per quem nec ales esurit.

Gaudet chorus coelestium
Et angeli canunt Deo
Palamque fit pastoribus
Pastor creator omnium.

13.

Corde natus ex parentis ante mundi exordium,
Alpha et Ω cognominatus, ipse fons et
clausula,
Omnium quae sunt, fuerunt, quaeque post
futura sunt
Saeculorum saeculis.

O beatus ortus ille, virgo cum puerpera
Edidit nostram salutem foeta saucto spiritu,
Et puer redemptor orbis os sacratum protulit
Saeculorum saeculis.

Psallat altitudo coeli, psallant omnes angeli,
Quidquid est virtutis usquam psallat in lau-
dem Dei,
Nulla linguarum silescat, voce et omnis
consonet
Saeculorum saeculis.

Ecce, quem vates vetustis concinebant saeculis,
Quem prophetarum fideles paginae spopon-
derant
Emicat promissus olim, cuncta collaudent eum
Saeculorum saeculis.

Te senes et te iuventus, parvulorum te chorus,
Turba matrum virginumque, simplices puel-
lulae
Voce concordes pudicis perstrepant concen-
tibus
Saeculorum saeculis.

14.

Laetabundus exultet fidelis chorus:
Alleluia.
Regem regum intactae profundit torus:
Res miranda.
Angelus consilii natus est de virgine,
Sol de stella.
Sol occasum nesciens, stella semper rutilans
Semper clara.
Sicut sidus radium profert virgo filium
Pari forma.
Neque sidus radio neque mater filio
Fit corrupta.
Cedrus alta Libani conformatur hyssopo
Valle nostra.
Verbum ens altissimi corporari passum est
Carne sumpta.
Isaias cecinit, synagoga meminit, nunquam
tamen desinit
Esse caeca.
Si non suis vatibus credat vel gentilibus, Sy-
billinis versibus
Haec praedicta.
Infelix propera, crede vel vetera, cur damna-
beris gens misera.
Natum considera, quem docet littera: ipsum
genuit puerpera.

15.

Nato nobis salvatore
Celebremus cum honore
Diem natalitium.
Nobis datus, nobis natus
Et nobiscum conversatus
Lux et salus gentium.

Eva prius interemit,
Sed Servator nos redemit
Carnis suae merito:
Prima parens nobis luctum,
Sed Maria vitae fructum
Protulit cum gaudio.

Negligentes non neglexit,
Sed ex alto nos prospexit
Pater mittens filium.
Praesens mundo, sed absconsus,
De secreto tamquam sponsus
Prodiit in publicum.

Gigas velox, gigas fortis,
Gigas, nostrae victor mortis,
Accinctus potentia,
Ad currendam venit viam,
Complens in se prophetiam
Et legis mysteria.

Iesu, nostra salutaris
Medicina singularis
Nostra pax et gloria:

Quia servis redimendis
Tam decenter condescendis,
Te collaudant omnia.

16.

Dies est laetitiae
In ortu regali,
Nam processit hodie
De ventre virginali
Puer admirabilis,
Totus delectabilis
In humanitate,
Qui inaestimabilis
Est et ineffabilis
In divinitate.

Orto Dei filio
Virgine de pura
Ut rosa de lilio
Stupescit natura,
Quem parit iuvencula
Natum ante saecula
Creatorem rerum
Quod uber munditiae
Dat lac pudicitiae
Antiquo dierum.

Ut vitrum non laeditur
Sole penetrante,

B *

Sic illaesa creditur
Post partum et ante
Felix haec puerpera
Cuius casta viscera
Deum genuerunt,
Et beata ubera
In aetate tenera
Christum lactaverunt.

Angelus pastoribus
Iuxta suum gregem
Nocte vigilantibus
Natum coeli regem
Nunciat cum gaudio
Iacentem in praesepio
Infantem pannosum,
Angelorum dominum
Et prae natis hominum
Forma speciosum.

17.

Quem pastores laudavere,
Quibus angeli dixere
Absit vobis iam timere,
Natus est rex gloriae:
Ad quem reges ambulabant,
Aurum, thus, myrrham portabant,
Immolabant haec sincere
Leoni victoriae.

Exultemus cum Maria
In coelesti hierarchia,
Natum promat voce pia
Laus honor et gloria
Christo regi, Deo nato
Per Mariam nobis dato
Merito resonat vere
Dulci cum melodia.

18.

Puer natus in Bethlehem
Unde gaudet Ierusalem.

Hic iacet in praesepio
Qui regnat sine termino.

Cognovit bos et asinus
Quod puer erat dominus.

Reges de Saba veniunt,
Aurum, thus, myrrham offerunt.

De matre natus virgine
Sine virili semine.

Sine serpentis vulnere
De nostro venit sanguine.

In carne nobis similis
Peccato sed dissimilis.

Ut redderet nos homines
Deo et sibi similes.

In hoc natali gaudio
Benedicamus domino.

Laudetur sancta Trinitas,
Deo dicamus gratius.

19.

Altitudo quid hic iaces,
  In tam vili stabulo?
Qui creasti coeli faces,
  Alges in praesepio?
O quam mira perpetrasti,
  Iesu propter hominem!
Tam ardenter quem amasti
  Paradiso exulem.

Fortitudo infirmatur,
  Parva fit immensitas;
Liberator alligatur,
  Nascitur aeternitas.
O quam mira perpetrasti etc.

Premis ubera labellis,
  Sed intactae Virginis;
Ploras uvidis ocellis,
  Coelum replens gaudiis.
O quam mira perpetrasti etc.

20.

Parvum quando cerno Deum
Matris inter brachia,
Colliquescit pectus meum
Inter mille gaudia.

Gestit puer, gestit videns
Tua mater viscera,
Puer ille dum subridens
Mille figit oscula.

Puro qualis in lucenti
Sol renidet aethere;
Talis puer in lactenti
Matris haeret ubere.

Talis mater speciosa
Pulcra est cum filio,
Qualis est cum molli rosa,
Viola cum lilio.

Inter sese tot amores,
Tot alternant spicula,
Quot in pratis fulgent flores,
Quot in coelo sidera.

O! ut una ex sagittis
Dulcis o puerule!
Quas in matris pectus mittis,
Cadat in me, Iesule!

21.

CANTICUM BENEDICTAE MATRIS AD FILIUM IN PRAESEPE IACENTEM.

Dormi fili, dormi! mater
Cantat unigenito;
Dormi, puer, dormi! pater
Nato clamat parvulo.
Millies tibi laudes canimus
Mille mille millies.

Lectum stravi tibi soli,
Dormi, nate bellule:
Stravi lectum foeno molli:
Dormi, mi animule!
Millies etc.

Dormi, decus et corona,
Dormi, nectar lacteum;
Dormi, mater dabo dona,
Dabo favum melleum.
Millies etc.

Dormi, nate mi mellite,
Dormi, plene saccharo;
Dormi, vita meae vitae,
Casto natus utero.
Millies etc.

Quidquid optes, volo dare:
Dormi, parve pupule!
Dormi fili, dormi carae
Matris deliciolae.
Millies etc.

Dormi, cor et meus thronus,
Dormi, matris iubilum:
Aurium coelestis sonus
Et suave sibilum.
Millies etc.

Dormi, fili; dulce mater,
Dulce melos concinam:
Dormi, nate; suave pater,
Suave carmen accinam.
Millies etc.

Nequid desit, sternam rosis,
Sternam foenum violis:
Pavimentum hyacinthis
Et praesepe liliis.
Millies etc.

Si vis musicam, pastores
Convocabo protinus:
Illis nulli sunt priores,
Nemo canit castius.
Millies etc.

22.

DE S. STEPHANO.

Heri mundus exultavit
Et exultans celebravit
Christi natalitia:

Heri chorus angelorum
Prosecutus est coelorum
Regem cum laetitia.

Protomartyr et Levita
Clarus fide, clarus vita,
Clarus et miraculis
Sub hac luce triumphavit
Et triumphans insultavit
Stephanus incredulis.

Fremunt ergo tanquam ferae
Quia victi defecere
Lucis adversarii:
Falsos testes statuunt
Et linguas exacuunt
Viperarum filii.

Agonista, nulli cede,
Certa certus de mercede
Persevera Stephane:
Insta falsis testibus,
Confuta sermonibus
Synagogam Satanae.

Testis tuus est in coelis,
Testis verax et fidelis
Testis innocentiae.
Nomen habes coronati,
Te tormenta decet pati
Pro corona gloriae.

Pro corona non marcenti
Perfer brevis vim tormenti
Te manet victoria.
Tibi fiet mors natalis,
Tibi poena terminalis
Dat vitae primordia.

Plenus sancto spiritu
Penetrat intuitu
Stephanus coelestia.
Videns Dei gloriam
Crescit ad victoriam
Suspirat ad praemia.

En a dextris Dei stantem
Iesum, pro te dimicantem
Stephane considera:
Tibi coelos reserari
Tibi Christum revelari,
Clama voce libera.

Se commendat salvatori
Pro quo dulce ducit mori
Sub ipsis lapidibus:
Saulus servat omnium
Vestes lapidantium,
Lapidans in omnibus.

Ne peccatum statuatur
Iis, a quibus lapidatur
Genu ponit et precatur

Condolens insaniae
In Christo sic obdormivit
Qui Christo sic obedivit
Et cum Christo semper vivit
Martyrum primitiae.

Quod sex suscitaverit
Mortuos in Africa,
Augustinus asserit,
Fama refert publica.

Huius Dei gratia
Revelato corpore,
Mundo datur pluvia
Siccitatis tempore.

Solo fugat hic odore
Morbus et daemonia,
Laude dignus et honore
Iugique memoria.

Martyr cuius est iucundum
Nomen in ecclesia:
Languescentem fove mundum
Coelesti fragrantia.

23.

DE S. IOANNE EVANGELISTA.

Verbum Dei, Deo natum
Quod nec factum nec creatum
Venit de coelestibus:
Hoc vidit, hoc attrectavit,
Hoc de coelo reseravit
Ioannes hominibus.

Inter illos primitivos
Veros veri fontis rivos
Ioannes exiliit,
Toti mundo propinare
Nectar illud salutare
Quod de throno prodiit.

Coelum transit, veri rotam
Solis ibi vidit, totam
Mentis figens aciem:
Speculator spiritalis
Quasi Seraphim sub alis
Dei videt faciem.

Audiit in gyro sedis
Quid psallant cum citharoedis
Quater seni proceres:
De sigillo trinitatis
Nostrae nummo civitatis
Impressit characteres.

Iste custos virginis
Arcanum originis
Divinae mysterium
Scribens evangelium
Mundo demonstravit:
Colli cui sacrarium
Suum Christus lilium,
Filio tonitrui
Sub amoris mutui
Pace commendavit.

Haurit virus hic letale
Ubi corpus virginale
Virtus servat fidei:
Poena stupet quod in poena
Sit Ioannes sine poena
Bullientis olei.

Hic naturis imperat
Ut et saxa transferat
In decus gemmarum:
Quo iubente riguit,
Auri fulvum induit
Virgula silvarum.

Hic infernum reserat,
Morti iubet, revocat
Quos venenum stravit:
Obstruit quod Ebion,
Cerinthus et Marcion
Perfide latravit.

Volat avis sine meta
Quo nec vates, nec propheta
Evolavit altius:
Tam implenda, quam impleta
Nunquam vidit tot secreta
Purus homo purius.

Sponsus rubra veste tectus
Visus sed non intellectus
Redit ad palatium:
Aquilam Ezechielis
Sponsae misit quae de coelis
Referret mysterium.

Dic dilecte de dilecto
Qualis sit et ex dilecto
Sponsus sponsae nuncia:
Dic quis cibus angelorum,
Quae sint festa superorum
De sponsi praesentia.

Veri panem intellectus,
Coenam Christi supra pectus
Christi sumptam resera:
Ut cantemus de patrono
Coram agno coram throno
Laudes super aethera.

24.

DE INNOCENTIBUS.

Salvete flores martyrum,
Quos lucis ipso in limine
Christi insecutor sustulit
Ceu turbo nascentes rosas.

Vos prima Christi victima,
Grex immolatorum tener
Aram ante ipsam simplices
Palma et coronis luditis.

Audit tyrannus anxius
Adesse regem principem,
Qui nomen Israel regat,
Teneatque David regiam.

Exclamat amens nuncio :
Successor instat, pellimur ;
Satelles, i, ferrum rape,
Perfunde cunas sanguine.

Mas omnis infans occidat,
Scrutare nutricum sinus,
Fraus ne qua furtim subtrahat
Prolem virilis indolis.

Transfigit ergo carnifex,
Mucrone districto furens,
Effusa nuper corpora
Animasque rimatur novas.

O barbarum spectaculum:
Vix interemptor invenit
Locum minutis artubus
Quo plaga descendat patens.

Quo proficit tantum nefas:
Quid crimen Herodem iuvat:
Unus tot inter funera
Impune Christus tollitur.

IN FESTO S. NOMINIS IESU.

25.

Iesu dulcis memoria,
Dans vera cordi gaudia,
Sed super mel et omnia
Eius dulcis praesentia.

Nil canitur suavius,
Nil auditur iucundius,
Nil cogitatur dulcius
Quam Iesus Dei Filius.

Iesu, spes poenitentibus,
Quam pius es petentibus,
Quam bonus te quaerentibus,
Sed quid invenientibus?

Iesu, dulcedo cordium,
Fons vivus, lumen mentium,
Excedens omne gaudium
Et omne desiderium.

Hymn.   C

Nec lingua valet dicere,
Nec littera exprimere,
Expertus potest credere
Quid sit Iesum diligere.

Quando cor nostrum visitas
Tunc lucet ei veritas,
Mundi vilescit vanitas,
Et intus fervet caritas.

Qui te gustant esuriunt;
Qui bibunt adhuc sitiunt;
Desiderare nesciunt
Nisi Iesum quem diligunt.

Quem tuus amor ebriat,
Novit quid Iesus sapiat;
Quam felix est quem satiat!
Non est ultra quod cupiat.

Iesu, decus angelicum,
In aure dulce canticum,
In ore mel mirificum
In corde nectar coelicum.

Desidero te millies, .
Mi Iesu, quando venies?
Me laetum quando facies?
Me de te quando saties?

O Iesu, mi dulcissime,
Spes suspirantis animae,

Te quaerunt piae lacrimae,
Te clamor mentis intimae.

Tu fons misericordiae,
Te verae lumen patriae:
Pelle nubem tristitiae,
Dans nobis lucem gloriae.

Te coeli chorus praedicat,
Et tuas laudes replicat:
Iesus orbem laetificat,
Et nos Deo pacificat.

Iesus ad Patrem rediit,
Coeleste regnum subiit:
Cor meum a me transiit,
Post Iesum simul abiit:

Quem prosequamur laudibus,
Votis, hymnis, et precibus;
Ut nos donet coelestibus
Secum perfrui sedibus.

26.

Gloriosi salvatoris nominis praeconia
Quae in corde genitoris latent ante saecula,
Mater coeli plena roris pandit nunc ecclesia.

Nomen dulce, nomen gratum, nomen ineffa-
bile,
Dulcis Iesus appellatum, nomen delectabile
Laxat poenas et reatum, nomen est amabile.

c *

Hoc est nomen adorandum, nomen summae
gloriae,
Nomen semper meditandum in valle miseriae:
Nomen digne venerandum supernorum curiae.

Nomen istud praedicatum melos est auditui,
Nomen istud invocatum dulce mel est gustui,
Iubilus est cogitatum spiritali visui.

Hoc est nomen exaltatum iure super omnia,
Nomen mire formidatum, effugans daemonia:
Ad salutem nobis datum divina clementia.

Nomen ergo tam beatum veneremur cernui,
Sit in corde sic firmatum quod non possit
erui,
Ut in coelis potestatum copulemur coetui.

IN FESTO EPIPHANIAE.

'27.

O sola magnarum urbium
· Maior Bethlem, cui contigit
Ducem salutis coelitus
Incorporatum gignere.

Haec stella, quae solis rotam
Vincit decore ac lumine,
Venisse terris hunciat
Cum carne terrestri Deum.

Videre postquam illam magi
Eoa promunt munera,
Stratique votis offerunt
Thus, myrrham et aurum regium.

Regem Deumque annuntiant
Thesaurus et fragrans odor,
Thuris Sabaei ac myrrheus
Pulvis sepulcrum praedocet.

28.

Hostis Herodis impie,
Christum venire quid times:
Non eripit mortalia
Qui regna dat coelestia.

Ibant magi quam viderant
Stellam sequentes praeviam:
Lumen requirunt lumine,
Deum fatentur munere.

Lavacra puri gurgitis
Coelestis agnus attigit:
Peccata quae non detulit
Nos abluendo sustulit.

Novum genus potentiae:
Aquae rubescunt hydriae,
Vinumque iussa fundere
Mutavit unda originem.

29.

Maiestati sacrosanctae
Militans cum trimphante
Iubilet Ecclesia:
Sic versetur laus in ore,
Nec gravetur cor torpore,
Quod degustat gaudia.

Novum parit virga florem,
Novum monstrat stella solem;
Currunt ad praesepia
Reges magi, qui non vagi,
Sed praesagi, gaudent agi
Stella duce praevia.

Trium regum trinum munus;
Christus, Homo-Deus, unus
Cum carne et anima;
Deus trinus in personis
Adoratur tribus donis,
Unus in essentia.

Myrrham ferunt, thus, et aurum,
Plus pensantes, quam thesaurum,
Typum, sub quo veritas;
Trina dona, tres figurae:
Rex in auro, Deus in thure,
In myrrha mortalitas.

Thuris odor Deitatem,
Auri splendor dignitatem
Regalis potentiae:

Myrrha caro Verbo nupta,
Per quod manet incorrupta
Caro carens carie.

Tu nos, Christe, ab hac valle
Duc ad vitam recto calle
Per regum vestigia.
Ubi Patris, ubi Tui,
Et Amoris Sacri, frui
Mercamur gloria.

SABBATO ANTE DOMINICAM SEPTUAGESIMAM.

30.

Alleluia, dulce carmen, vox perennis gaudii,
Alleluia laus suavis est choris coelestibus,
Quam canunt Dei manentes in domo per
saecula.

Alleluia laeta mater cecinit Hirusalem,
Alleluia vox tuorum civium gaudentium,
Exules nos flere cogunt Babylonis flumina.

Alleluia non meremur nunc perenne psallere
Alleluia nos reatus cogit intermittere;
Tempus instat, quo peracta lugeamus crimina.

Inde laudando precamur te beata Trinitas,
Ut tuum nobis videre pascha des in aethere,
Quo tibi laeti canamus alleluia perpetim.

DE POENITENTIA ET SANCTIFICATIONE.

31.

HYMNUS ALPHABETICUS.

Ad coeli clara non sum dignus sidera
Levare meos infelices oculos,
Gravi depressus peccatorum pondere.
Parce redemptor!

Bonum neglexi facere, quod debui,
Probrosa gessi sine fine crimina,
Scelus patravi nullo clausum termino.
Subveni Christe!

Cunctae quae salso maris sunt in littore
Arenae mixtis purpuratis conchulis,
Non meis possunt coaequari vitiis,
Fateor malis.

Doleo multis peccatorum iaculis
Confossus, arcu quae Venus libidinis
Intorsit, lita spicula mortiferi
Fellis ab unda.

Effudit daemon de pharetra flammeas
Sagittas, meum super vulnus vulnere
Infixit statim cupido turpissima
Fronte rugosa.

Factus sum vilis; cuncta super ilia
Venit latenter gladium superbiae,
Cordis infixit mucronem sub medio
Manu cruenta.

Genus serpentis affuit invidia,
Veneni portans pocula pestiferi,
Dedit in sitim; mortis auctor extitit
Sordida lues.

Horrida vultu faculam discordia,
Igne succensam deferens sulphureo,
Medio meo posuit sub pectore,
Coxit amare.

Inter has quoque pennas gerens plumbeas
Inanis cursim transvolavit gloria,
Quae me ventosa nitebatur subito
Fraude perire.

Kanendo venit fistula ingluvies,
Bona praesentis inrogabat temporis,
Extendit ventrem, temulentum reddidit,
Miscuit risus.

Lugere modo me permitte, domine,
Mala, quae gessi, reus ab infantia,
Lacrimas mihi tua dona gratia
Cordis ab imo.

Meis, ut puto, vitiis tartarea
Tormenta multis non valent sufficere,
Nisi succurrat, Christe, tua pietas   .
Misero mihi.

Nullum peccatum super terrae faciem
Potest aut scelus inveniri quodpiam,

A quorum non sim inquinatus faecibus
Infelix ego.

Ortus, occasus, aquilo, septentrio,
Coelum terraque, mare, fontes, fiumina,
Montes et colles, campi, mixta rosulis
Lilia flete.

Plangite meum astra rutilantia,
Mecum mugite bestiae silvicolae,
Dicite, tu es miser, qui sub impio
Crimine gemis.

Quis me de manu Cocyti flammivomi
Erui potest nisi patris unica
Proles, qui mundum pretioso sanguine
Iure redemit?

Redemptor mundi, unica spes omnium,
Aequalis patri sanctoque spiritui,
Trinus et unus deus invisibilis,
Mihi succurre!

Si me subtili pensas sub libramine.
Spes in me nulla remanet fiduciae,
Sed rogo, tua me salvet potentia,
Filius dei.

Tolle peccatum, dilue facinora,
Ablue sordes donaque charismata,
Instaura meum clementer pectusculum
Munere tuo.

Veniam peto non meis demeritis
Fisus, sed tua certus de clementia,
Qui bona reis pietate solita
Gratis impendis.

Xriste, te semper recta fide labiis
Confessus, corde credidi orthodoxo,
Haereticorum dogma nefas respui
Pectore puro.

Ymnum fideli modulando gutture
Arrium sperno, latrantem Sabellium,
Assensi nunquam grunnienti Simoni
Fauce susurra.

Zelo pro Christi sum zelatus nomine,
Nam sancta mater lacte me catholico
Tempus per omne nutrivit ecclesia
Ubere sacro.

Gloriae sanctae trinitati unicae
Sit deo patri, genito, paraclito;
Laus mea sonet omnia per saecula
Domino semper.

32.

Ut iucundas cervus undas
Aestuans desiderat,
Sic ad rivum Dei vivum
Mens fidelis properat.

Sicut rivi fontis vivi
Praebent refrigerium,
Ita menti sitienti
Deus est remedium.

Quantis bonis superponis
Sanctos tuos, Domine:
Sese laedit, qui recedit
Ab aeterno lumine.

Vitam laetam et quietam,
Qui te quaerit, reperit;
Nam laborem et dolorem
Metit, qui te deserit.

Pacem donas, et coronas,
His qui tibi militant;
Cuncta laeta sine meta
His qui tecum habitant.

Heu quam vana mens humana
Visione falleris!
Dum te curis nocituris
Imprudenter inseris.

Cur non caves lapsus graves,
Quos suadet proditor,
Nec avectas vias rectas,
Quas ostendit Conditor?

Resipisce, atque disce
Cuius sis originis;

Ubi degis, cuius legis,
Cuius sis et ordinis.

Ne te spernas, sed discernas,
Homo gemma regia:
Te perpende, et attende
Qua sis factus gratia.

Recordare quis et quare
Sis a Deo conditus;
Huius haeres nunc maneres,
Si fuisses subditus.

O mortalis, quantis malis
Meruisti affici,
Dum rectori et auctori
Noluisti subiici.

Sed maiores sunt dolores
Infernalis carceris;
Quo mittendus et torquendus
Es, si male vixeris.

Cui mundus est iucundus,
Suam perdit animam;
Pro re levi atque brevi
Vitam perdit optimam.

Ergo cave ne suave
Iugum spernas Domini;
Nec abiecta lege recta
Servias libidini.

Si sunt plagae, curam age
Ut curentur citius :
Ne, si crescant et putrescant
Pergas in deterius.

Ne desperes, iam cohaeres
Christi esse poteris,
Si carnales, quantum vales,
Affectus excluseris;

Si vivorum et functorum
Christum times iudicem:
Debes scire, quod perire
Suum non vult supplicem.

Preces funde, pectus tunde,
Flendo cor humilia:
Poenitenti et gementi
Non negatur venia.

33.

Quid, Tyranne! quid minaris,
Quid usquam poenarum est?
Quidquid tandem machinaris:
Hoc amanti parum est;
Dulce mihi cruciari,
Parva vis doloris est:
Malo mori quam foedari!
Maior vis amoris est.

Para rogos, quamvis truces,
Et quidquid flagrorum est:
Adde ferrum, adde cruces:
Nil adhuc amanti est;
Dulce mihi cruciari,
Parva vis doloris est:
Malo mori quam foedari!
Maior vis amoris est.

Nimis blandus dolor ille!
Una mors quam brevis est!
Cruciatus amo mille,
Omnis poena levis est.
Dulce mihi sauciari,
Parva vis doloris est:
Malo mori quam foedari!
Maior vis amoris est.

TEMPORE PASSIONIS DOMINI.

34.

Ex more docti mystico
Servemus hoc iciunium,
Deno dierum circulo
Ducto quater notissimo.

Lex et prophetae primitus
Hoc protulerunt, postmodum
Christus sacravit, omnium
Rex atque factor temporum.

Utamur ergo parcius
Verbis, cibis et potibus,
Somno, iocis et arctius
Perstemus in custodia.

Vitemus autem pessima,
Quae subruunt mentes vagas ;
Nullumque demus callido
Hosti locum tyrannidis.

Dicamus omnes cernui
Clamemus atque singuli,
Ploremus ante iudicem,
Flectamus iram vindicem,

Nostris malis offendimus
Tuam, Deus, clementiam,
Effunde nobis desuper
Remissor indulgentiam.

Memento quod sumus tui
Licet caduci plasmatis,
Ne des honorem nominis
Tui, precamur, alteri.

Laxa malum, quod fecimus,
Auge bonum quod poscimus,
Placere quo tandem tibi
Possimus hic et perpetim.

35.

Rex Christe factor omnium,
Redemptor et credentium,
Placare votis supplicum
Te laudibus colentium.

Cuius benigna gratia
Crucis per alma vulnera
Virtute solvit ardua
Primi parentis vincula.

Qui es creator siderum
Tegmen subisti carneum,
Dignatus hanc vilissimam
Pati doloris formulam.

Ligatus es, ut solveres
Mundi ruentis complices,
Per probra tergens crimina
Quae mundus auxit plurima.

Cruci redemptor figeris,
Terram sed omnem concutis;
Tradis potentem spiritum
Nigrescit atque saeculum.

Mox in paternae gloriae
Victor resplendens culmine
Cum spiritus munimine
Defende nos, rex optime.

Hymn.   v

36.

Pange lingua gloriosi proelium certaminis
Et super crucis tropaeo dic triumphum no-
bilem,
Qualiter redemptor orbis immolatus vicerit.

De parentis protoplasti fraude factor condolens,
Quando pomi noxialis morsu in mortem
corruit,
Ipse lignum tunc notavit damna ligni ut
solveret.

Hoc opus nostrae salutis ordo depoposcerat,
Multiformis proditoris ars ut artem falleret
Et medelam ferret inde hostis unde laeserat.

Quando venit ergo sacri plenitudo temporis,
Missus est ab arce patris natus orbis conditor
Atque ventre virginali caro factus prodiit.

Vagit infans inter arcta conditus praesepia,
Membra pannis involuta virgo mater alligat,
Et pedes manusque crura stricta cingit fascia.

Lustra sex qui iam peracta, tempus implens
corporis
Se volente, natus ad hoc, passioni deditus
Agnus in cruce levatur, immolandus stipite.

Hic acetum, fel, arundo, sputa, clavi, lancea,
Mite corpus perforatur, sanguis unda profluit,
Terra, pontus, astra mundus quo lavantur
flumine.

Crux fidelis inter omnes, arbor una nobilis
Nulla talem silva profert fronde, flore, germine:
Dulce lignum dulci clavo dulce pondus su-
stinens.

Flecte ramos arbor alta, tensa laxa viscera
Et rigor lentescat ille quem dedit nativitas
Ut superni membra regis miti tendas stipite.

Sola digna tu fuisti ferre pretium saeculi,
Atque portum praeparare nauta mundo nau-
frago,
Quem sacer cruor perunxit fusus agni corpore.

Gloria et honor Deo usque quo altissimo
Una patri filioque, inclito paraclito
Cui laus est et potestas per aeterna saecula.

37.

Vexilla regis prodeunt,
Fulget crucis mysterium,
Quo carne carnis conditor
Suspensus est patibulo.

D *

Quo vulneratus insuper
Mucrone diro lanceae,
Ut nos lavaret crimine
Manavit unda et sanguine.

Impleta sunt quae concinit
David fideli carmine
Dicendo : in nationibus
Regnavit a ligno Deus.

Arbor decora et fulgida
Ornata regis purpura,
Electa digno stipite
Tam sancta membra tangere.

Beata cuius brachiis
Pretium pependit saeculi,
Statera facta est saeculi
Praedamque tulit tartari.

O crux ave spes unica
Hoc passionis tempore,
Auge piis iustitiam
Reisque dona veniam.

38.

Salve caput cruentatum,
Totum spinis coronatum,
Conquassatum, vulneratum,
Arundine sic verberatum,
Facie sputis illita.

53

Salve, cuius dulcis vultus
Immutatus et incultus
Immutavit suum florem
Totus versus in pallorem,
Quem coeli tremit curia.

Omnis vigor atque viror
Hinc recessit, non admiror,
Mors apparet in inspectu
Totus pendens in defectu
Attritus aegra macie.
Sic affectus, sic despectus
Propter me sic interfectus,
Peccatori tam indigno
Cum amoris in te signo
Appare clara facie.

In hac tua passione
Me agnosce pastor bone,
Cuius sumsi mel ex ore,
Haustum lactis ex dulcore
Prae omnibus deliciis.
Non me reum asperneris
Nec indignum dedigneris,
Morte tibi iam vicina
Tuum caput hic inclina,
In meis pausa bracchiis.

Tuae sanctae passioni
Me gauderem interponi,
In hac cruce tecum mori

Praesta crucis amatori,
Sub cruce tua moriar;
Morti tuae iam amarae
Grates ago, Iesu care,
Qui es clemens, pie Deus
Fac quod petit tuus reus
Ut absque te non finiar.

Dum me mori est necesse,
Noli mihi tunc deesse:
In tremenda mortis hora
Veni Iesu absque mora
Tuere me et libera.
Cum me iubes emigrare,
Iesu care tunc appare,
O amator amplectende
Temet ipsum tunc ostende
In cruce salutifera.

39.

Iesu, dulce medicamen
Esto cordis consolamen
Pietatis gratia;
Mentis da tranquillitatem
Atque veram pietatem
Pia conscientia.

Cogitatus, intellectus,
Motus sempor et affectus

Tua providentia
Incessanter foveantur,
Ad te semper dirigantur
Cordis desideria.

Iesu, dulcis mi salvator,
Orbis pius reparator,
Qui mira clementia
Corpus tuum venerandum
Tradidisti trucidandum
Ad crucis supplicia.

Potestatem praebens pravis
Laniandi membra clavis
Dirisque verberibus,
Corpus sinens sic artari,
Ut valerent numerari
Ossa cum lateribus.

Iesu clemens, ob amorem,
Dirae mortis qui languorem
Te fecit suscipere,
Tuam quaeso pietatem
Meam dele pravitatem
Bonitatis munere.

In adversis patientem,
In dolore fac gaudentem
Tua me clementia,
In secundis temperatum,
In moerore non turbatum,
Laetum in iniuria.

Iesu, fons dilectionis,
Iugis tuae passionis
Mihi da memoriam,
Fideique firmitatem
Et perfectam caritatem
Speique fiduciam.

Fac me vitiis mundatum
Et virtutibus dicatum
Post praesens exilium
Ad iucundum beatorum
Civiumque supernorum
Venire consortium.

40.

Patris sapientia, veritas divina,
Deus homo captus est hora matutina,
A suis discipulis cito derelictus
Iudaeis est traditus venditus, afflictus.

Hora prima ductus est Iesus ad Pilatum
Falsis testimoniis multum accusatum
In collum percutiunt manibus ligatum,
Vultum Dei conspuunt, lumen coeli gratum.

Crucifige, clamitant hora Tertiarum;
Illusus induitur veste purpurarum,
Caput eius pungitur corona spinarum,
Crucem portat humeris ad locum poenarum

Hora sexta Iesus est cruci conclavatus
Et est cum latronibus pendens deputatus,
Prae tormentis sitiens felle saturatus,
Agnus crimen diluit sic ludificatus.

Hora nona dominus Iesus exspiravit,
Heli clamans animam patri commendavit,
Latus eius lancea miles perforavit,
Terra tunc contremuit et sol obscuravit.

De cruce deponitur hora vespertina,
Fortitudo latuit in mente divina,
Talem mortem subiit vitae medicina,
Heu corona gloriae iacuit supina.

Hora completorii datur sepulturae
Corpus Christi nobile, spes vitae futurae,
Conditur aromate, complentur scripturae;
Iugis sic memoria mors est mihi curae.

Has horas canonicas cum devotione
Tibi Christe recolo pia ratione
Ut qui pro me passus es amoris ardore
Sis mihi solatium in mortis agone.

41.

Ecquis binas columbinas
Alas dabit animae?
Ut in almam crucis palmam
Evolet citissime,

In qua Iesus totus laesus,
Orbis desiderium,
Et immensus est suspensus,
Factus improperium!

O cor scande, Iesu pande
Caritatis viscera.
Et profunde me recondo
Intra sacra vulnera;
In superna me caverna
Colloca maceriae;
Hic viventi, quiescenti
Finis est miseriae.

O mi Deus, amor meus!
Tune pro me pateris?
Proque indigno, crucis ligno
Iesu mi suffigeris?
Pro latrone, Iesu bone,
Tu in crucem tolleris!
Pro peccatis meis, gratis
Vita mea moreris!

Non sum tanti, Iesu! quanti
Amor tuus aestimat:
Heu cur ego vitam dego,
Si cor te non redamat?
Benedictus sit invictus
Amor vincens omnia,
Amor fortis, tela mortis
Reputans ut somnia.

Isto fecit, et refecit
Amor, Iesu, perditum;
O insignis, Amor, ignis
Cor accende frigidum.
O fac vere cor ardere,
Fac, me te diligere,
Da coniungi, da defungi
Tecum Iesu, et vivere. Amen.

HYMNI DE S. CRUCE.

42.

Crux benedicta nitet, dominus qua carne
pependit
Atque cruore suo vulnera nostra lavit.

Mitis amore pio pro nobis victima factus,
Traxit ab ore lupi qua sacer agnus oves.

Transfixis palmis ibi mundum a clade redemit
Atque suo clausit funere mortis iter.

Hic manus illa fuit clavis confixa cruentis
Quae eripuit Paulum crimine, morte Petrum.

Fertilitate potens, o dulce et nobile lignum,
Quando tuis ramis tam nova poma geris.

Cuius odore novo defuncta cadavera surgunt
Et redeunt vitae qui caruere die.

Nullum uret aestus sub frondibus arboris
huius,
Luna nec in nocte, sol neque meridie.

Tu plantata micas secus est ubi cursus
aquarum
Spargis et ornatas flore recente comas.

Appensa est vitis inter tua brachia, de qua
Dulcia sanguineo vina rubore fluunt.

O tam magna deo magnalia tanta paranti,
Quanta mira facit gloria magna Deo.

43.

Laudes crucis attollamus
Nos, qui crucis exultamus
Speciali gloria:
Nam in cruce triumphamus,
Hostem ferum superamus
Vitali victoria.

Dulce melos tangat coelos,
Dulce lignum dulci dignum
Credimus melodia:
Voci vita non discordet
Quum vox vitam non remordet,
Dulcis est symphonia.

Servi crucis crucem laudent,
Per quam crucem sibi gaudent
Vitae dari munera;
Dicant omnes et dicant singuli:
Ave salus totius saeculi
Arbor salutifera.

O quam felix, quam praeclara
Fuit haec salutis ara
Rubens agni sanguine;
Agni sine macula,
Qui mundavit saecula
Ab antiquo crimine.

Haec est scala peccatorum,
Per quam Christus rex coelorum
Ad se traxit omnia:
Forma cuius haec ostendit
Quae terrarum comprehendit
Quatuor confinia.

Non sunt nova sacramenta,
Nec recenter est inventa
Crucis haec religio:
Ista dulces aquas fecit,
Per hanc silex aquas iecit
Moysi officio.

Nulla salus est in domo,
Nisi cruce munit homo
Superliminaria:

Neque sensit gladium,
Nec amisit filium,
Quisquis egit talia.

Ligna legens in Sarepta
Spem salutis est adepta
Pauper muliercula:
Sine lignis fidei
Nec lecythus olei
Valet nec farinula.

Roma naves universas
In profundum vidit mersas
Una cum Maxentio:
Fusi Thraces, caesi Persae,
Sed et partis dux adversae
Victus ab Heraclio.

In scripturis sub figuris
Ista latent, sed iam patent
Crucis beneficia:
Reges credunt, hostes cedunt
Sola cruce Christo duce
Unus fugat millia.

Ista suos fortiores
Semper facit et victores,
Morbos sanat et languores,
Reprimit daemonia:
Dat captivis libertatem,
Vitae confert novitatem,

Ad antiquam dignitatem
Crux reduxit omnia.

O crux signum triumphale
Vera mundi salus, vale!
Inter ligna nullum tale
Fronde, flore, germine:
Medicina christiana
Salva sanos, aegros sana;
Quod non valet vis humana
Fit in tuo nomine.

Astistentes crucis laudi,
Consecrator crucis audi,
Atque servos tuae crucis
Post hanc vitam, verae lucis
Transfer ad palatia:
Quos tormento vis servire,
Fac tormenta non sentire,
Sed cum dies erit irae,
Confer nobis et largire
Sempiterna gaudia.

44.

Recordare sanctae crucis,
Qui perfectam viam ducis,
Delectare iugiter.
Sanctae crucis recordare
Et in ipsa meditare
Insatiabiliter.

Quum quiescis aut laboras,
Quando rides, quando ploras,
Doles sive gaudeas,
Quando vadis, quando venis,
In solatiis, in poenis
Crucem corde teneas.

Crux in omnibus pressuris
Et in gravibus et duris
Est totum remedium.
Crux in poenis et tormentis
Est dulcedo piae mentis
Et verum refugium.

Crux est porta Paradisi,
In qua sancti sunt confisi,
Qui vicerunt omnia.
Crux est mundi medicina,
Per quam bonitas divina
Facit mirabilia.

Crux est salus animarum,
Verum lumen et praeclarum,
Et dulcedo cordium.
Crux est vita beatorum
Et thesaurus perfectorum
Et decor et gaudium.

Crux est speculum virtutis
Gloriosae dux salutis,
Cuncta spes fidelium.

Crux est decus salvandorum
Et solatium eorum
Atque desiderium.

Crux est arbor decorata,
Christi sanguine sacrata,
Cunctis plena fructibus;
Quibus animae cruuntur,
Cum supernis nutriuntur
Cibis in coelestibus.

Specialem fer amorem
Et praecipuum honorem
Cruci salutiferae.
Cum fervore medullarum,
Nixu virium tuarum
Velis hanc diligere.

Diligenter pone mentem
Super Christum patientem,
Et ei condoleas.
Christi mortem, Christiane,
Plange sero atque mane,
Et in planctu gaudeas.

Quam despectus, quam deiectus
Rex coelorum est effectus,
Ut salvaret seculum?
Esurivit et sitivit,
Pauper et egenus ivit
Usque ad patibulum.

Hymn.   E

Quum deductus est immensus
Et in cruce tunc suspensus,
Fugerunt discipuli.
Manus pedes perfoderunt,
Et aceto potaverunt
Summum regem saeculi:

Cuius oculi beati
Sunt in cruce obscurati,
Et vultus expalluit.
Suo corpori tunc nudo
Non remansit pulchritudo,
Decor omnis aufugit.

Propter hominum peccata
Sua caro cruciata
Fuit inter verbera.
Membra sua sunt distenta
Propter aspera tormenta
Et illata vulnera.

Inter magnos cruciatus
Est in cruce lacrimatus
Et emisit spiritum.
Suspiremus et fleamus,
Toto corde doleamus
Super unigenitum.

Crucifixe, fac me fortem,
Ut libenter tuam mortem
Plangam, donec vixero.

Tecum volo vulnerari,
Te libenter amplexari
In cruce desidero.

45.

Crux fidelis, terras coelis
Miro nectens foedere,
Nos in laude tua gaude
Devotos incedere.

Crux est thronus in quo bonus
Pastor oves redimit:
Crux fecundat, crux emundat,
Crux hostem interimit.

Crux est signum quod est dignum
Conservare perditos:
Crux est dies per quam quies
Redditur ad timidos.

Crux est satis fida ratis,
Crux est horror daemonum:
Crux est scutum nimis tutum
Et trophaeum militum.

Ara crucis, lampas lucis,
Vera salus hominum:
Nobis pronum fac patronum
Quae tulisti Dominum.

E *

Salve lignum vitae dignum
Ferre mundi pretium:
Confecisti plebi Christi
Crucis beneficium.

46.

Crux ave benedicta!
Per te mors est devicta,
In te pependit Deus,
Rex, et Salvator meus.

Tu arborum Regina,
Salutis medicina,
Pressorum es levamen
Et tristium solamen-

O sacrosanctum lignum,
Tu vitae nostrae signum,
Tulisti fructum Iesum,
Humani cordis esum.

Dum crucis inimicos
Vocabis, et amicos;
O Iesu fili Dei!
Sis, oro, memor mei.

47.

DE COMPASSIONE B. VIRGINIS.

Stabat mater dolorosa
Iuxta crucem lacrymosa,
Dum pendebat filius,
Cuius animam gementem
Contristantem ac dolentem
Pertransivit gladius.

O quam tristis et afflicta
Fuit illa benedicta
Mater Unigeniti!
Quae moerebat et dolebat
Et tremebat, cum videbat
Nati poenas inclyti.

Quis est homo, qui non fleret,
Matrem Christi si videret
In tanto supplicio?
Quis non posset contristari,
Piam matrem contemplari
Dolentem cum filio.

Pro peccatis suae gentis
Vidit Iesum in tormentis
Et flagellis subditum,
Vidit suum dulcem natum
Morientem, desolatum,
Dum emisit spiritum.

Eia Mater, fons amoris!
Me sentire vim doloris
Fac, ut tecum lugeam.
Fac, ut ardeat cor meum
In amando Christum Deum
Ut sibi complaceam.

Sancta mater, istud agas
Crucifixi fige plagas
Cordi meo valide.
Tui nati vulnerati
Tam dignati pro me pati
Poenas mecum divide.

Fac me tecum vere flere
Crucifixo condolere,
Donec ego vixero.
Iuxta crucem tecum stare
Meque tibi sociare
In planctu desidero.

Virgo virginum praeclara,
Mihi iam non sis amara,
Fac me tecum plangere,
Fac ut portem Christi mortem
Passionis fac consortem
Et plagas recolere.

Fac me plagis vulnerari,
Cruce hac inebriari
Ob amorem filii.

Inflammatus et accensus
Per te, virgo, sim defensus
In die iudicii.

Fac me cruce custodiri,
Morte Christi praemuniri,
Confoveri gratia.
Quando corpus morietur,
Fac ut animae donetur
Paradisi gloria.

48.

DOMINICA PALMARUM.

Gloria, laus et honor tibi sit rex Christe,
redemptor
Cui puerile decus prompsit Hosanna pium.

Israelis tu rex, Davidis et inclyta proles,
Nomine qui in domini rex benedicte venis.
Gloria, laus et honor etc.

Coetus in excelsis te laudat coelitus omnis
Et mortalis homo et cuncta creata simul.
Gloria, laus et honor etc.

Plebs Hebraea tibi cum palmis obvia venit,
Cum prece, voto, hymnis adsumus ecce tibi.
Gloria, laus et honor etc.

Hi tibi passuro solvebant munia laudis,
Nos tibi regnanti pangimus ecce melos.
Gloria, laus et honor etc.

Hi placuere tibi, placeat devotio nostra,
Rex pie, rex clemens, cui bona cuncta placent.
Gloria, laus et honor etc.

DE SACRA COENA.

49.

Sancti venite,
Christi corpus sumite,
Sanctum bibentes
Quo redempti, sanguinem.

Salvati Christi
Corpore et sanguine,
A quo refecti
Laudes dicamus Deo.

Hoc sacramento
Corporis et sanguinis
Omnes exemti
Ab inferni faucibus.

Dator salutis,
Christus filius Deo
Mundum servavit
Per crucem et sanguinem.

Pro universis
Immolatus dominus,
Ipse sacerdos
Exstitit et hostia.

Lege praeceptum
Immolari hostias,
Qua adumbrantur
Divina mysteria.

Lucis indultor
Et salvator omnium
Praeclaram sanctis
Largitus est gratiam.

Accedant omnes
Pura mente creduli,
Sumant aeternam
Salutis custodiam.

Sanctorum custos
Rector quoque dominus
Vitam perennem
Largitur credentibus.

Coelestem panem
Dat esurientibus,
De fonte vivo
Praebet sitientibus.

Alpha et Omega
Ipse Christus dominus,
Venit venturus
Iudicare homines.

50.

Pange lingua gloriosi corporis mysterium
Sanguinisque pretiosi, quem in mundi pretium
Fructus ventris generosi, rex effudit gentium.

Nobis natus, nobis datus ex intacta virgine
Et in mundo conversatus, sparso verbi semine
Sui moras incolatus miro clausit ordine.

In supremae nocte coenae recumbens cum
fratribus
Observata lege plene cibis in legalibus,
Cibum turbae duodenae se dat suis manibus.

Verbum caro, panem verum verbo carnem
efficit,
Fitque sanguis Christi merum; etsi sensus
deficit,
Ad firmandum cor sincerum sola fides sufficit.

Tantum ergo sacramentum veneremur cernui
Et antiquum documentum novo cedat ritui:
Praestet fides supplementum sensuum de-
fectui.

Genitori genitoque laus et iubilatio,
Salus, honor, virtus quoque sit et benedictio,
Procedenti ab utroque compar sit laudatio.

51.

Lauda Sion salvatorem,
Lauda ducem et pastorem
In hymnis et canticis:

Quantum potes, tantum gaude,
Quia maior omni laude,
Nec laudare sufficis.

Laudis thema spiritalis
Panis vivus et vitalis
Hodie proponitur,
Quem in sacrae mensa coenae
Turbae fratrum duodenae
Datum non ambigitur.

Sit laus plena, sit sonora
Sit iucunda, sit decora,
Mentis iubilatio:
Dies enim sollemnis agitur
In qua mensae prima recolitur
Huius institutio.

In hac mensa novi regis
Novum pascha novae legis
Phase vetus terminat.
Vetustatem novitas,
Umbram fugat veritas,
Noctem lux eliminat.

Quod in coena Christus gessit
Faciendum hoc expressit
In sui memoriam.
Docti sacris institutis
Panem, vinum in salutis,
Consecramus hostiam.

Dogma datur Christianis.
Quod in carnem transit panis
Et vinum in sanguinem.
Quod non capis, quod non vides,
Animosa firmat fides
Praeter rerum ordinem.

Sub diversis speciebus,
Signis tantum et non rebus,
Latent res eximiae.
Caro cibus, sanguis potus:
Manet tamen Christus totus
Sub utraque specie.

A sumente non concisus,
Non confractus, non divisus,
Integer accipitur.
Sumit unus, sumunt mille,
Quantum isti, tantum ille,
Nec sumptus consumitur.

Sumunt boni, sumunt mali
Sorte tamen inaequali
Vitae vel interitus.
Mors est malis, vita bonis:
Vide, paris sumptionis
Quam sit dispar exitus.

Fracto demum sacramento
Ne vacilles, sed memento
Tantum esse sub fragmento
Quantum toto tegitur:

Nulla rei fit scissura,
Signi tantum fit fractura
Qua nec status nec statura
Signati minuitur.

Ecce panis angelorum,
Factus cibus viatorum,
Vere panis filiorum,
Non mittendus canibus.
In figuris praesignatur,
Quum Isaac immolatur,
Agnus Paschae deputatur,
Datur manna patribus.

Bone pastor, panis vere,
Iesu, nostri miserere.
Tu nos pasce, nos tuere,
Tu nos bona fac videre
In terra viventium.
Tu qui cuncta scis et vales,
Qui nos pascis hic mortales,
Tuos ibi commensales,
Cohaeredes et sodales
Fac sanctorum omnium.

52.

Anima Christi sanctifica me,
Corpus Christi salva me,
Sanguis Christi inebria me,
Aqua lateris Christi lava me.

Passio Christi conforta me:
O bone Iesu exaudi me,
Intra vulnera tua absconde me
Et ne permittas me separari a te,
Ab hoste maligno defende me,
In hora mortis meae voca me,
Et iube me venire ad te,
Ut cum sanctis tuis laudem te
In saecula saeculorum.

53.

O esca viatorum,
O panis Angelorum,
O manna coelitum!
Esurientes ciba,
Dulcedine non priva
Cor te quaerentium.

O lympha fons amoris,
Qui puro Salvatoris
E corde profluis!
Te sitientes pota.
Haec sola nostra vota,
His una sufficis.

O Iesu tuum vultum,
Quem colimus occultum
Sub panis specie,
Fac, ut remoto velo,
Aperta nos in coelo
Cernamus acie.

IN FESTO PASCHALI.

54.

Salve festa dies, toto venerabilis aevo
Qua Deus infernum vicit et astra tenet,
Salve festa dies toto venerabilis aevo.

Ecce renascentis testatur gratia mundi
Omnia cum domino dona redisse suo.
Qua Deus infernum vicit et astra tenet.

Namque triumphanti post tristia tartaro
Christo
Undique fronde nemus, gramina flore favent.
Salve festa dies etc.

Legibus inferni oppressis super astra me-
antem
Laudant rite Deum lux, polus, arva, fretum.
Qua Deus infernum etc.

Qui crucifixus erat, Deus ecce per omnia
regnat
Dantque creatori cuncta creata precem.
Salve festa dies etc.

55.

Aurora lucis rutilat,
Coelum laudibus intonat,
Mundus exultans iubilat,
Gemens infernus ululat,

Cum rex ille fortissimus
Mortis confractis viribus,
Pede conculcans tartara
Solvit catena miseros.

Ille qui clausus lapide
Custoditur sub milite,
Triumphans pompa nobili
Victor surgit de funere.

Solutis iam gemitibus
Et inferni doloribus,
Quia surrexit dominus
Splendens clamavit angelus.

Tristes erant apostoli
De nece sui domini,
Quem poena mortis crudeli
Servi damnarant impii.

Sermone blando angelus
Praedixit mulieribus:
In Galilaea dominus
Videndus est quantocyus.

Illae dum pergunt concite
Apostolis hoc dicere,
Videntes eum vivere
Osculant pedes domini.

Quo agnito discipuli
In Galilacam propere

Pergunt, videre faciem
Desideratam domini.

Claro paschali gaudio
Sol mundo nitet radio,
Cum Christum iam apostoli
Visu cernunt corporeo.

Ostensa sibi vulnera
In Christi carne fulgida
Resurrexisse dominum
Voce fatentur publica.

Rex Christe clementissime,
Tu corda nostra posside,
Ut tibi laudes debitas
Reddamus omni tempore.

56.

Ad coenam agni providi
Et stolis albis candidi,
Post transitum maris rubri
Christo canamus principi.

Cuius corpus sanctissimum
In ara crucis torridum,
Cruore eius roseo
Gustando vivimus Deo.

Protecti paschae vespere
A devastante angelo,

Hymn.   F

Erepti de durissimo
Pharaonis imperio.

Iam pascha nostrum Christus est,
Qui immolatus agnus est,
Sinceritatis azyma
Caro eius oblata est.

O vera digna hostia,
Per quam fracta sunt tartara,
Redempta plebs captivata,
Reddita vitae praemia.

Cum surgit Christus tumulo,
Victor redit de barathro,
Tyrannum trudens vinculo
Et reserans paradisum.

Quaesumus auctor omnium
In hoc paschali gaudio :
Ab omni mortis impetu
Tuum defende populum.

57.

Victimae paschali laudes immolent Chri-
stiani :
Agnus redemit oves, Christus innocens patri
reconciliavit peccatores.
Mors et vita duello conflixere mirando : dux
vitae mortuus regnat vivus.

Dic nobis Maria: Quid vidisti in via?
Sepulcrum Christi viventis et gloriam vidi
resurgentis.
Dic nobis Maria: Quid vidisti in via?
Angelicos testes, sudarium et vestes.
Dic nobis Maria: Quid vidisti in via?
Surrexit Christus spes mea, praecedet vos
in Galilaea.
Credendum est magis soli Mariae veraci quam
Iudaeorum turbae fallaci.
Scimus Christum surrexisse ex mortuis vere:
tu nobis victor rex miserere.

58.

Mitis agnus, leo fortis,
Triduanae somno mortis
Excitatur hodie;
Inferorum fractis portis
Nos consortes suae sortis
Efficit et gloriae.

Ad sepulcrum cum unguentis
Pari voto piae mentis
Accesserunt feminae;
Afferentes unctionem
Angelorum visionem
Meruerunt cernere.

F *

Par accessus, amor idem;
Ad eundem habent fidem
Sub eodem nomine;
Lapis erat revolutus;
Quidam eis est locutus:
Nolite metuere.

Festinantes ite retro;
Nuntiantes visu Petro
Caeterisque propere!
Resurrexit vere Iesus;
Immortalis et illaesus
Vivit iam in aethere.

59.

Mundi renovatio
Nona parit gaudia,
Resurgenti domino
Conresurgunt omnia:
Elementa serviunt
Et auctoris sentiunt
Quanta sint sollemnia.

Ignis volat mobilis,
Et aer volubilis,
Fluit aqua labilis,
Terra manet stabilis,
Alta petunt levia,
Centrum tenent gravia,
Renovantur omnia.

Coelum fit serenius,
Et mare tranquillius,
Spirat aura levius,
Vallis nostra floruit.
Revirescunt arida
Recalescunt frigida
Postquam ver intepuit.

Gelu mortis solvitur
Princeps mundi tollitur
Et eius destruitur
In nobis imperium,
Dum tenere voluit,
In quo nihil habuit
Ius amisit proprium.

Vita mortem superat,
Homo iam recuperat,
Quod prius amiserat
Paradisi gaudium:
Viam praebet facilem
Cherubim versatilem
Ut deus promiserat
Amovendo gladium.

60.

Zyma vetus expurgetur,
Ut sincero celebretur
Nova resurrectio:

Haec est dies nostrae spei,
Huius mira vis diei
Legis testimonio.

Haec Aegyptum spoliavit
Et Hebraeos liberavit
De fornace ferrea:
His in arcto constitutis
Opus erat servitutis
Lutum, later, palea.

Iam divinae laus virtutis
Iam triumphi, iam salutis
Vox erumpat libera:
Haec est dies quam fecit dominus,
Dies nostri doloris terminus,
Dies salutifera.

Lex est umbra futurorum,
Christus finis promissorum,
Qui consummat omnia:
Christi sanguis igneam
Hebetavit rhomphaeam
Amota custodia.

Puer nostri forma risus,
Pro quo vervex est occisus,
Vitae signat gaudium,
Ioseph exit de cisterna,
Christus redit ad superna
Post mortis supplicium.

Hic dracones Pharaonis
Draco vorat, a draconis
Immunis malitia:
Quos ignitus vulnerat
Hos serpentis liberat
Aenei praesentia.

Anguem forat in maxilla
Christi hamus et armilla,
In cavernam reguli
Manum mittit ablactatus
Et sic fugit exturbatus
Vetus hospes sacculi.

Irrisores Helisaei,
Dum conscendit domum dei,
Zelum calvi sentiunt:
David arreptitius,
Hircus emissarius
Et passer effugiunt.

In maxilla mille sternit
Et de tribu sua spernit
Samson matrimonium,
Samson Gasae seras pandit
Et asportans portas scandit
Montis supercilium.

Sic de Iuda leo fortis
Fractis portis dirae mortis
Die surgit tertia
Rugiente voce patris

Ad supernae sinum matris
Tot revexit spolia.

Cetus Ionam fugitivum,
Veri Ionae signativum,
Post tres dies reddit vivum
De ventris angustia:
Botrus Cypri reflorescit,
Dilatatur et excrescit,
Synagogae flos marcescit,
Et floret ecclesia.

Mors et vita conflixere,
Resurrexit Christus vere
Et cum Christo surrexere
Multi testes gloriae,
Mane novum, mane laetum
Vespertinum tergat fletum,
Quia vita vicit letum,
Tempus est laetitiae.

Iesu victor, Iesu vita,
Iesu vitae via trita
Cuius morte mors sopita,
Ad paschalem nos invita
Mensam cum fiducia.
Vive panis, vivax unda
Vera vitis et fecunda,
Tu nos pasce, tu nos munda,
Ut a morte nos secunda
Tua salvet gratia.

61.

Collaudemus Magdalenae lacrimas et gaudium,
Sonent voces laude plenae de concentu cordium
Ut concordet philomelae turturis suspirium.

Iesum quaerens convivarum turbas non eru-
buit,
Pedes unxit, lacrimarum fluvio quos abluit,
Crine tersit et culparum veniam promeruit.

Suum lavit mundatorem, rivo fons immaduit,
Pium fudit flos liquorem, in ipsum refloruit;
Coelum terrae dedit rorem, terra coelum
compluit.

In praedulci mixtione nardum ferens pisti-
cum,
In unguenti fusione typum gessit mysticum,
Ut sanetur unctione unxit aegra medicum.

Pie Christus hanc respexit speciali gratia,
Quia multum hunc dilexit dimittuntur vitia,
Christi quando resurrexit facta est praenuntia.

Aestimavit hortulanum et hoc sane credidit.
Seminavit enim granum quod in mentem ce-
cidit,
Linguam novit et non manum, linguam
Christus indidit.

Non agnovit figurali latentem imagine,
Mentis agrum spiritali excolentem semine,
Sed cum eam speciali designavit nomine.

Haec a Iesu Iesum quaerit, sublatum con-
queritur,
Iesus intus mentem gerit, Iesus praesens
quaeritur,
Mentem colit, mentem serit Iesus, nec per-
cipitur.

Iesu bone, Iesu pie, quid te monstrans latitas;
Quid occultas te Mariae, mentem cuius ha-
bitas;
Intus plena vero die nescit nisi veritas.

O quam mire Iesu ludis his quibus diligeris.
Sed cum ludis non illudis, nec fallis nec
falleris,
Sed excludis quos includis, notus non agnos-
ceris.

O Maria, noli flere, iam non quaeras alium;
Hortulanus hic est vere et colonus mentium,
Intra mentis ortum quaere mentis operarium.

Unde planctus et lamentum, quid mentem
non erigis;
Quid revolvis monumentum, tecum est quem
diligis,
Iesum quaeris, et inventum habes nec in-
telligis.

Unde gemis, unde ploras, verum habes gau-
dium;
In te latet quod ignoras doloris solatium,
Intus habes, quaeris foras languoris remedium.

Iam non miror si nescisti magistrum dum
seminat,
Semen quod est verbum Christi te magis
illuminat,
Et Rabboni respondisti cum Mariam nominat.

Pedes Christi quos lavisti fonte lota gratiae.
Quem ab ipso recepisti funde rorem veniae,
Resurgentis quem vidisti fac consortes gloriae.

Gloria et honor Deo cuius profert gratia
Invitanti Pharisaeo Mariae suspiria,
Coenam vitae qui dat reo gratiae post prandia.

***

62.

Surrexit Christus hodie
Humano pro solamine. Alleluia.

Mortem qui passus pridie
Miserrimo pro homine. Alleluia.

Mulieris ad tumulum
Dona ferunt aromatum. Alleluia.

Quaerentes Iesum dominum
Qui est salvator hominum. Alleluia.

Album cernentes angelum
Annunciatum gaudium.   Alleluia.

Mulieres o tremulae,
In Galilaeam pergite.   Alleluia.

Discipulis hoc dicite
Quod surrexit rex gloriae.   Alleluia.

Petro dehinc et ceteris
Apparuit apostolis.   Alleluia.

In hoc paschali gaudio
Benedicamus domino.   Alleluia.

Gloria tibi domine
Qui surrexisti a morte.   Alleluia.

Laudetur sancta trinitas,
Deo dicamus gratias.   Alleluia.

63.

Plaudite coeli!
Rideat aether!
Summus et imus
Gaudeat orbis!
Transivit atrae
Turba procellae!
Subiit almae
Gloria palmae!

Surgite verni,
Surgite flores,
Germina pictis
Surgite campis!
Teneris mistae
Violis rosae;
Candida sparsis
Lilia calthis!

Currite plenis
Carmina venis,
Fundite laetum
Barbita metrum;
Namque revixit,
Sicuti dixit,
Pius illaesus
Funere Iesus.

Plaudite montes,
Ludite fontes,
Resonent valles,
Repetant colles:
Io, revixit,
Sicuti dixit,
Pius illaesus
Funere Iesus.

64.

Pone luctum Magdalena!
Et serena lacrymas;
Non est iam Simonis cocna,
Non cur fletum cxprimas,
Causae mille sunt laetandi,
Causae mille exultandi:
Alleluia resonet.

Sume risum Magdalena!
Frons nitescat lucida:
Dcmigravit omnis poena,
Lux coruscat fulgida:
Christus mundum liberavit,
Et de morte triumphavit,
Alleluia resonet.

Gaude, plaude Magdalena!
Tumba Christus exiit,
Tristis est peracta scena,
Victor mortis rediit,
Quem deflebas morientem,
Nunc arride resurgentem,
Alleluia resonet.

Tolle vultum Magdalena!
Redivivum obstupe,
Vide frons quam sit amoena,
Quinque plagas aspice,
Fulgent sicut margaritae,
Ornamenta novae vitae.
Alleluia resonet.

Vive, vive Magdalena!
Tua lux reversa est,
Gaudiis turgescat vena,
Mortis vis abstersa est:
Moesti procul sint dolores,
Laeti redeant amores,
Alleluia resonet.

IN FESTO ASCENSIONIS.

65.

Aeterne rex altissime,
Redemptor et fidelium,
Quo mors soluta deperit
Datur triumphus gratiae.

Scandens tribunal dexterae
Patris, potestas omnium
Collata Iesu coelitus,
Quae non erat humanitus.

Ut trina rerum machina,
Coelestium, terrestrium
Et infernorum condita
Flectat genu iam subdita.

Trement videntes angeli
Versam vicem mortalium:
Culpat caro, purgat caro,
Regnat Deus Dei caro.

Tu Christe nostrum gaudium,
Manens Olympo praeditum,
Mundi regis qui fabricam
Mundana vincens gaudia.

Hinc te precantes quaesumus :
Ignosce culpis omnibus
Et corda sursum subleva
Ad te superna gratia.

Ut cum repente coeperis
Clarere nube iudicis,
Poenas repellas debitas,
Reddas coronas perditas.

IN FESTO PENTECOSTES.

66.

Beata nobis gaudia
Anni reduxit orbita,
Cum spiritus paraclitus
Effulsit in discipulos.

Ignis vibrante lumine
Linguae figuram detulit.
Verbis ut essent proflui
Et caritate fervidi.

Linguis loquuntur omnium,
Turbae pavent gentilium,
Musto madere deputant,
Quos spiritus repleverat.

Patrata sunt haec mystice
Paschae peracto tempore,
Sacro dierum numero,
Quo lege fit remissio.

Te nunc, Deus piissime,
Vultu precamur cernue;
Illapsa nobis coelitus
Largire dona spiritus.

Dudum sacrata pectora
Tua replesti gratia,
Dimitte nunc peccamina
Et da quieta tempora.

67.

Veni creator spiritus,
Mentes tuorum visita,
Imple superna gratia
Quae tu creasti pectora.

Qui paraclitus diceris
Donum Dei altissimi,
Fons vivus, ignis, caritas
Et spiritalis unctio.

Tu septiformis munere,
Dextrae Dei tu digitus,
Tu rite promisso patris,
Sermone ditas guttura.

Hymn.   G

Accende lumen sensibus,
Infunde amorem cordibus,
Infirma nostri corporis
Virtute firmans perpetim.

Hostem repellas longius,
Pacemque dones protinus,
Ductore sic te praevio
Vitemus omne noxium.

Per te sciamus da patrem,
Noscamus atque filium,
Te utriusque spiritum
Credamus omni tempore.

Sit laus patri cum filio,
Sancto simul paraclito,
Nobisque mittat filius
Charisma sancti spiritus.

68.

Veni Sancte Spiritus:
Reple tuorum corda fidelium,
Et tui amoris in eis ignem accende:
Qui per diversitatem linguarum cunctarum
Gentes in unitate fidei congregasti.
  Alleluia, Allcluia.

69.

Qui procedis ab utroque,
Genitore genitoque
Pariter, Paraclite,
Redde linguas eloquentes,
Fac ferventes in te mentes
Flamma tua divite.

Amor patris filiique,
Par amborum et utrique
Compar et consimilis:
Cuncta reples, cuncta foves
Astra regis, coelum moves,
Permanens immobilis.

Lumen clarum, lumen carum,
Internarum tenebrarum
Effugas caliginem.
Per te mundi sunt mundati;
Tu peccatum et peccati
Destruis rubiginem.

Veritatem notam facis,
Et ostendis viam pacis
Et iter iustitiae.
Perversorum corda vitas,
Et bonorum corda ditas
Munere scientiae.

Te docente nil obscurum,
Te praesente nil impurum,
Sub tua praesentia

G *

Gloriatur mens iucunda,
Per te laeta, per te munda
Gaudet conscientia.

Tu commutas elementa,
Per te suam sacramenta
Habent efficaciam:
Tu nocivam vim repellis,
Tu confutas et refellis
Hostium nequitiam.

Quando venis, corda lenis:
Quando subis, atrae nubis
Effugit obscuritas.
Sacer ignis, pectus ignis,
Non comburis, sed a curis
Purgas, quando visitas.

Mentes prius imperitas
Et sopitas et oblitas
Erudis et excitas.
Foves linguas, formas sonum,
Cor ad bonum facit pronum
A te data caritas.

O iuvamen oppressorum,
O solamen miserorum,
Pauperum refugium,
Da contemptum terrenorum,
Ad amorem supernorum
Trahe desiderium.

Pelle mala, terge sordes
Et discordes fac concordes
Et affer praesidium.

Tu, qui quondam visitasti,
Docuisti, confortasti,
Timentes discipulos:
Visitare nos digneris,
Nos, si placet, consoleris
Et credentes populos.

Par maiestas personarum,
Par potestas est earum,
Et communis deitas:
Tu procedens a duobus,
Coaequalis es ambobus,
In nullo disparitas.

Quia tantus es et talis,
Quantus pater est et qualis,
Servorum humilitas
Deo patri filioque
Redemptori, tibi quoque
Laudes reddat debitas.

IN FESTO S. TRINITATIS.

70.

Profitentes Unitatem
Veneremur Trinitatem
Pari reverentia:

Tres personas asserentes
Personali differentes
A se differentia.

Haec dicuntur relative,
Cum sint unum substantive,
Non tria principia:
Sive dicas tres vel tria,
Simplex tamen est usia,
Non triplex essentia.

Simplex esse, simplex posse,
Simplex velle, simplex nosse,
Cuncta sunt simplicia:
Non unius quam duarum
Sive trium personarum
Minor efficacia.

Pater, Proles, sacrum Flamen,
Deus unus; sed hi tamen
Habent quaedam propria;
Una virtus, unum lumen,
Unus splendor, unum numen,
Haec unum quod alia.

Patri Proles est aequalis:
Nec hoc tollit personalis
Amborum distinctio:
Patri compar Filioque
Spiritalis ab utroque
Procedit connexio.

Non humana ratione
Capi possunt hae personae,
Nec harum discretio:
Non hic ordo temporalis,
Non hic situs, aut localis
Rerum circumscriptio.

Nil in Deo praeter Deum:
Nulla causa praeter eum
Qui causat causalia:
Effectiva vel formalis
Causa Deus est finalis,
Sed nunquam materia.

Digne loqui de personis
Vim transcendit rationis,
Excedit ingenia:
Quid sit gigni, quid processus,
Me nescire sum professus:
Sed fide non dubia.

Qui sic credit, ne festinet,
Et a via non declinet
Insolenter regia:
Servet fidem, firmet mores,
Nec attendat ad errores,
Quos damnat ecclesia.

Nos in fide gloriemur:
Nos in una modulemur
Fidei constantia:

Trinae laus sit Unitati,
Sic et simplae Trinitati
Coaeterna gloria.

HYMNI DE B. VIRGINE MARIA.

71.

Quem terra, pontus, aethera,
Colunt, adorant, praedicant,
Trinam regentem machinam
Claustrum Mariae baiulat.

Cui luna, sol et omnia
Deserviunt per tempora
Perfusa coeli gratia
Gestant puellae viscera.

Beata mater munere,
Cuius supernus artifex
Mundum pugillo continens
Ventris sub arca clausus est.

Benedicta coeli nuntio,
Foecunda sancto spiritu,
Desideratus gentibus
Cuius per alvum fusus est.

O gloriosa femina,
Excelsa supra sidera,
Qui te creavit provide
Lactasti sacro ubere.

Quod Eva tristis abstulit
Tu reddis almo germine;
Intrent ut astra flebiles
Coeli fenestra facta es.

Tu regis alti ianua
Et porta lucis fulgida:
Vitam datam per virginem
Gentes redemptae plaudite.

<hr/>

72.

Ave maris stella,
Dei mater alma
Atque semper virgo,
Felix coeli porta.

Sumens illud Ave
Gabrielis ore,
Funda nos in pace,
Mutans nomen Evae.

Solve vincla reis,
Profer lumen caecis,
Mala nostra pelle,
Bona cuncta posce.

Monstra te esse matrem,
Sumat per te precem,
Qui pro nobis natus
Tulit esse tuus.

Virgo singularis,
Inter omnes mitis,
Nos culpis solutos
Mites fac et castos.

Vitam praesta puram,
Iter para tutum,
Ut videntes Iesum
Semper collactemur.

Sit laus Deo patri,
Summo Christo decus
Spiritui sancto
Honor trinus et unus.

73.

O felicem genitricem,
Cuius casta viscera
Meruere continere
Continentem omnia.

Felix venter quo clementer
Deus formam induit,
Felix pectus in quo tectus
Rex virtutum latuit.

Felix alvus, quo fit salvus
Homo fraude perditus,
Felix sinus quo divinus
Requievit spiritus.

Hac in domo Deus homo
Fieri disposuit:
Hic absconsus pius sponsus
Novam formam induit.

Hic natura, frangens iura
Novo stupet ordine:
Rerum usus est exclusus
In praesenti virgine.

O mamilla cuius stilla
Fuit eius pabulum,
Qui dat terrae fructum ferre,
Pascit omne saeculum.

O Maria mater pia,
Finis et exordium,
Posce natum, ut optatum
Det nobis remedium.

Quo sanati sauciati
Sine sorde vulnerum
Transferamur et ducamur
In sanctorum numerum.

74.

O sanctissima,
O piissima,
Dulcis virgo Maria;

Mater amata,
Intemerata,
Ora, ora pro nobis.

Pias lacrymas,
Pios gemitus
Audi, bona, precamur.
Ingruunt hostes,
Suffice vires,
Ora, ora pro nobis.

In miseriis,
In angustiis
Ora, virgo, pro nobis;
Pro nobis ora
In mortis hora,
Ora, ora pro nobis.

75.

Nunquam serenior,
Nunquam amoenior
Phoebus est visus,
Quam quando conditus
Et novus consitus
Est paradisus.

In hoc nil proficit,
In hoc nil officit
Serpentis dolus,

Nec ligni vetiti,
Pomi nec editi
Praefocat bolus.

Nil tabes vulnerat,
Nil labes funerat
Originalis;
Hortum vivificat,
Plantas laetificat
Aura vitalis.

Tanquam in acie
Stant sine macie
Virtutum flores,
Et sine satie
Divinae gratiae
Libant liquores.

Hortus in medio
Fert sine taedio
Auctorem vitae:
Arboris esus est
Salus, quae Iesus est;
In hortum ite.

Ite, iam certa est,
Nobis aperta est
In hortum via!
En paradisus est,
Qualis non visus est,
Virgo Maria.

76.

Ut axe sunt serena
Nocturna sidera,
Ut verna sunt amoena
In campis lilia :

Sic, virgo, claritatis
Es flore fulgida,
Sic, mater, caritatis
Es rore limpida.

77.

MARIA AMORE MORIENS.

Tandem audite me,
Sionis filiae !
Aegram respicite,
Dilecto dicite :
Amore vulneror,
Amore funeror.

Fulcite floribus
Fessam languoribus.
Stipate citreis
Et malis aureis ;
Nimis edacibus
Liqueo facibus.

Huc odoriferos,
Huc soporiferos
Ramos deponite ;

111

Rogos componite,
Ut phoenix moriar,
Ex flammis oriar.

An amor dolor sit,
An dolor amor sit,
Utrumque nescio;
Hoc unum sentio:
Qui meus amor est,
Hic blandus dolor est.

Quid amor crucias?
Aufer inducias!
Suavis tyrannus es,
Momentum annus est.
Cur tua vulnera
Tam tarda funera?

Iam vitae stamina
Rumpas, o anima!
Vult ignis tendere,
Gestit ascendere,
Crispat vertiginem,
Quaerit originem.

78.

AD ANGELUM CUSTODEM.

Angelice patrone,
Beate Spiritus,

Custos, et tutor bone
Mi date coelitus!
Tuo grates amori
Mens gestit dicere,
Quo sine nolim mori,
Nec ausim vivere.

O comes et antistes
Vitae individuus,
A me ne longe distes,
Sis dux assiduus,
Me protege, tuere,
Accende, dirige;
Instruere, docere
Me doctor satage.

Infirmum me conforta,
Sustenta debilem,
In manibus me porta,
Ne fors ad lapidem
Pedes meos offendam,
Sed recto tramite
Da, facilis ascendam
Culmen iustitiae.

Si daemon infernalis
Struat insidias,
Divine mi sodalis,
Adfer suppetias;
Hostemque procul pelle,
Ut mecum superes,

Fac me nil unquam velle,
Quam quod tu cuperes.

In viam duc salutis,
Errantem moneas,
Obstacula virtutis
De via moveas;
Mens sceleris sit pura,
Ah mens ne pereat!
Huic Deus una cura
Infixus haereat.

A teneris fuisti
Qui mihi socius,
In hora mortis tristi
Accurras ocius,
Et animam defende
A fraude daemonis,
Modumque tunc ostende
Placandi numinis.

Ah mortis in agone
Fac vere doleam,
Pura confessione
Peccata deleam,
Spe, fide, caharitate,
Et patientia,
Munitus pietate
Linquam praesentia.

Hanc animam, tremendo
Cum sistar iudici,

Tibi, pracses, commendo,
Illi tu subveni,
O Angele mi custos
Migrantem tollito,
Et laetus inter iustos
Ad dextram ponito.

DE S. IOANNE BAPTISTA.

79.

Ut queant laxis resonare fibris
Mira gestorum famuli tuorum,
Solve polluti labii reatum,
  Sancte Ioannes.

Nuncius celso veniens olympo,
Te patri magnum fore nasciturum,
Nomen et vitae seriem gerendae
  Ordine promit.

Ille promissi dubius superni
Perdidit promptae modulos loquelae,
Sed reformasti genitus peremptae
  Organa vocis.

Ventris obstruso positus cubili,
Senseras regem thalamo manentem,
Hinc parens nati meritis uterque
  Abdita pandit.

Antra deserti teneris sub annis,
Civium turmas fugiens, petisti,
Ne levi saltem maculare vitam
    Famine posses.

Praebuit hirtum tegimen camelus,
Artubus sacris strophium bidentes,
Cui latex haustum, sociata pastum
    Mella locustis.

Caeteri tantum cecinere vatum
Corde praesago iubar adfuturum,
Tu quidem mundi scelus auferentem
    Indice prodis.

Non fuit vasti spatium per orbis
Sanctior quisquam genitus Ioanne,
Qui nefas saecli meruit lavantem
    Tingere lymphis.

O nimis felix meritique celsi,
Nesciens labem nivei pudoris,
Praepotens martyr eremique cultor,
    Maxime vatum.

Serta ter denis alios coronant
Aucta crementis, duplicata quosdam,
Trina centeno cumulata fructu
    Te sacer ornant.

Nunc potens nostri meritis opimis
Pectoris duros lapides repelle,

н

Asperum planans iter, et reflexos
Dirige calles.

Ut pius mundi sator et redemptor,
Mentibus pulsa luvionc puris,
Rite dignetur veniens sacratos
Ponere gressus.

80.

Praecursoris et baptistae
Diem istum chorus iste
Veneretur laudibus.
Vero die iam dicscat,
Ut in nostris elucescat
Verus dies mentibus.

Pater vetus novum natum
Obstupescit, dum legatum
Audit missum coelitus:
Nam aetatem et naturam
Consulendo genituram
Miratur decrepitus.

Dum non paret verbo parens,
Mox in verbo fit apparens
Pro verbis punitio:
Pater haerens hoc infirmat
Affirmando quod confirmat
Loquelae privatio.

Praecursore nondum nato
Nondum partu reserato
Reserantur mystica:
Nostro sole tunc exclusus
Verioris est perfusus
Solis luce typica.

Prius novit diem verum
Quam nostrorum sit dierum
Usus beneficio:
Hic renascens nondum natus
Nondum natus est renatus
Coelesti mysterio.

Clausa pandit ventre clausus
Gestu plaudens fit applausus
Messiae praesentiae:
Linguae gestus obsequuntur,
Dum pro lingua sic loquuntur
Serviunt infantiae.

Mater parit, pater credit,
Redeunte fide redit
Linguae beneficium.
Reserato partu matris
Reseratur lingua patris
Reserans mysterium.

Tori fructus matri dantur
Et iam matris excusantur
Sterilis opprobria:

Ortus tanti praecursoris
Multos tenet, sed terroris
Comes est laetitia.

Se a mundo servans mundum
Munde vivit intra mundum
In aetate tenera.
Ne formentur a convictu
Mores, loco, veste, victu,
Mundi fugit prospera.

Quem dum replet lux superna,
Verae lucis fit lucerna,
Veri solis lucifer,
Novus praeco novae legis,
Immo novus novi regis
Pugnaturi signifer.

Singulari prophetia
Prophetarum monarchia
Sublimatur omnium.
Hi futurum, hic praesentem,
Hi venturum, venientem
Monstrat iste filium.

Dum baptizat Christum foris,
Hic a Christo melioris
Aquae tactu tingitur.
Duos duplex lavat flumen:
Isti nomen, illi numen
Baptistae conceditur.

Dum baptizat, baptizatur,
Dumque lavat, hic lavatur
Vi lavantis omnia.
Aquae lavant et lavantur:
His lavandi vires dantur
Baptizati gratia.

O lucerna verbi dei,
Ad coelestis nos diei
Perduc luminaria.
Nos ad portum ex hoc fluctu,
Nos ad risum ex hoc luctu
Tua trahat gratia.

DE S. EVANGELISTIS.

81.

Iocundare plebs fidelis,
Cuius pater est in coelis
Recolens Ezechielis
Prophetae praeconia.
Est Ioannes testis ipsi
Scribens in Apocalypsi:
Vere vidi, vere scripsi
Vera testimonia.

Circa thronum maiestatis
Cum spiritibus beatis
Quatuor diversitatis
Astant animalia.

Formam primum aquilinam
Et secundum leoninam,
Sed humanam et bovinam
Duo gerunt alia.

Formae formant figurarum
Formas Evangelistarum,
Quorum imber doctrinarum
Stillat in ecclesia.
Hi sunt Marcus et Matthaeus,
Lucas et quem Zebedaeus
Pater misit tibi, Deus,
Dum laxaret retia.

Formam viri dant Matthaeo,
Quia scripsit sic de Deo,
Sicut descendit ab eo
Quem plasmavit homine.
Lucas bos est in figura,
Ut praemonstrat in scriptura
Hostiarum tangens iura
Legis sub velamine.

Marcus leo per desertum
Clamans rugit in apertum :
Iter fiat Deo certum,
Mundum cor a crimine.
Sed Ioannes ala bina
Caritatis aquilina
Forma fertur in divina
Puriori lumine.

Quatuor describunt isti
Quadriformes actus Christi
Et figurat, ut audisti,
Quisque suam formulam.
Natus homo declaratur,
Vitulus sacrificatur,
Leo mortem depraedatur
Et ascendit aquila.

Ecce forma bestialis
Quam scriptura prophetalis
Notat, sed materialis
Haec est impositio.
Currunt rotis, volant alis,
Visus, sensus spiritalis,
Rota gressus est aequalis,
Ala contemplatio.

Paradisus his rigatur,
Viret, floret, foecundatur,
His abundat, his laetatur
Quatuor fluminibus.
Fons et Christus, hi sunt rivi,
Fons et altus, hi proclivi,
Ut saporem fontis vivi
Ministrent fidelibus.

Horum rivo debriatis,
Sitis crescat caritatis,
Ut de fonte Deitatis
Satiemur plenius.

122

Horum trahat nos doctrina
Vitiorum de sentina
Sicque ducat ad divina
Ab imo superius.

82.

Plausu chorus laetabundo
Hos attollat per quos mundo,
Sonant evangelia;
Voce quorum salus fluxit,
Nox praecessit et illuxit
Sol illustrans omnia.

Curam agens sui gregis
Pastor bonus, auctor legis
Quatuor instituit:
Quadri orbis ad medelam
Formam iuris et cautelam
Per quos scribi voluit.

Circa thema generale
Habet quisque speciale
Stili privilegium;
Quos designat in propheta
Forma pictus subdiscreta,
Vultus animalium.

Pellens nubem nostrae molis
Intuetur iubar solis
Ioannes in aquila,

Supra coelos dum conscendit
Sinu patris deprehendit
Natum ante saecula.

Os humanum est Matthaei
In humana forma, Dei
Dictantis prosapiam,
Cuius genus sic contexit,
Quod a stirpe David exit
Per carnis materiam.

Rictus bovis Lucae datur,
In qua forma figuratur
Nova Christus hostia;
Ara crucis mansuetus
Hic mactatur sic et vetus
Transit observantia.

Est leonis rugientis
Marco vultus resurgentis
Quo claret potentia:
Voce patris excitatus
Surgit Christus laureatus
Immortali gloria.

His quadrigis deportatur
Mundo Deus, sublimatur
Istis arca vectibus;
Paradisi haec fluenta
Nova fluunt sacramenta,
Quae irrorant gentibus.

Non est domus ruitura
Hac subnixa quadratura,
Haec est domus domini:
Glorietur in hac domo,
Qua beatus vivit homo
Deus iunctus homini.

DE S. PETRO ET S. PAULO.

83.

Apostolorum passio
Diem sacravit sacculi, .
Petri triumphum nobilem,
Pauli coronam praeferens.

Coniunxit aequales viros
Cruor triumphalis necis,
Deum secutos praesulem
Christi coronavit fides.

Primus Petrus apostolus
Nec Paulus impar gratia,
Electionis vas sacrae
Petri adaequavit fidem.

Verso crucis vestigio
Simon honorem dans Deo
Suspensus ascendit dati
Non immemor oraculi.

Praecinctus ut dictum est senex
Et elevatus ab altero
Quo nollet ivit, sed volens
Mortem subegit asperam.

Hinc Roma celsum verticem
Devotionis extulit,
Fundata tali sanguine
Et vate tanto nobilis.

Tantae per urbis ambitum
Stipata tendunt agmina,
Trinis celebratur viis
Festum sacrorum martyrum.

Prodire quis mundum putet
Concurrere plebem poli,
Electa gentium caput
Sedes magistri gentium.

84.

Aurea luce et decore roseo
Lux lucis omne perfudisti saeculum
Decorans coelos inclyto martyrio
Hac sacra die, quae dat reis veniam.

Ianitor coeli, doctor orbis pariter
Iudices saecli, vera mundi lumina,
Per crucem alter, ense alter triumphans
Vitae senatum laureati possident.

Iam bone pastor Petre, clemens accipe
Vota precantum et peccati vincula
Resolve tibi potestate tradita
Qui cunctis coelum verbo claudis, aperis.

Doctor egregie Paule, mores instrue
Et mente polum nos transferre satage
Donec perfectum largiatur plenius
Evacuato quod ex parte gerimus.

Olivae binae, pietatis unicae
Fide devotos, spe robustos maximae,
Fonde repletos caritatis geminae
Post mortem carnis impetrate vivere.

Sit trinitati sempiterna gloria,
Honor, potestas atque iubilatio,
In unitate cui manet imperium
Ex tunc et modo per aeterna saecula.

85.

O Roma nobilis, orbis et domina,
Cunctarum urbium excellentissima,
Roseo martyrum sanguine rubea,
Albis et virginum liliis candida:
Salutem dicimus tibi per omnia,
Te benedicimus, salve per saecula.

Petre, tu praepotens caelorum claviger,
Vota precantium exaudi iugiter!

Cum bissex tribuum sederis arbiter,
Factus placabilis iudica leniter,
Teque precantibus nunc temporaliter
Ferto suffragia misericorditer!

O Paule, suscipe nostra precamina!
Cuius philosophos vicit industria:
Factus oeconomus in domo regia
Divini muneris appono fercula;
Ut, quae repleverit te sapientia,
Ipsa nos repleat tua per dogmata.

86.

Paulus Sion architectus
Est a Christo praeelectus
Et magister gentium,
Vas insigne signo crucis,
Vas electum verae lucis
Praesignans mysterium.

Saulus cadit consternatus,
Paulus surgit illustratus,
Ut mundum illuminet,
Pestes pellat, plantet mores,
Fidem servet et errores
Gentium eliminet.

Absit mihi gloriari,
Inquit, nisi singulari
Crucis privilegio.

Se pro Christo cuncta ferre
Profitetur, et offerre
Se truci martyrio.

Iste vas electionis
Vires omnes rationis
Humanae transgreditur,
Super choros angelorum
Raptus coeli secretorum
Doctrinis imbuitur.

De hoc vase tam fecundo,
Tam electo et tam mundo
Tu nos, Christe, complue,
Nos de luto, nos de facce
Tua sancta purga prece,
Regno tuo statue.

DE MARTYRIBUS.

87.

O beata beatorum
Martyrum sollemnia,
O devote recolenda
Victorum certamina.

Digni dignis fulgent signis
Et florent virtutibus,
Illos semper condecenter
Veneremur laudibus.

Fide, voto, corde toto
Adhaeserunt domino,
Et invicti sunt addicti
Atroci martyrio.

Carcerati, trucidati,
Tormentorum genera,
Igne laesi, ferro caesi
Pertulerunt plurima.

Dum sic torti cedunt morti
Carnis per interitum,
Ut electi sunt adepti
Beatorum praemium.

Per contemptum mundanorum,
Et per bella fortia
Meruerunt angelorum
Victores consortia.

Ergo facti cohaeredes,
Christo in coelestibus
Apud ipsum vota nostra
Promovete precibus.

Ut post finem huius vitae
Et post transitoria
In perenni mereamur
Exultare gloria.

I

88.

In triumphum mors mutatur,
Quae fuit opprobrium;
Unde culpa plectebatur,
Via fit ad praemium.
O totius coeli luce
Dignum certe proelium!
Cogitata Christi cruce,
Dulce fit martyrium.

Ante mundi blandientis
Voluptates vicerat,
Qui nunc mali saevientis
Iras fortis superat.
Mundus pulcher ne placeret,
Deus traxit pulchrior:
Egit, mundus ne terreret,
Deus terribilior.

Potest martyr impugnari,
Et non potest cedere:
Dei timor dat luctari,
Caritas dat vincere.
Fortis ut mors, metum mortis
Abstulit dilectio;
Mox et mortem victor fortis
Habet pro ludibrio.

Dum in frusta dissecatur
Homo qui conspicitur,

In aeternum renovatur
Intus qui concluditur.
O qui potens astitisti
Stanti sub carnifice,
Dextra sanctum qua iuvisti
Et nos fortes effice!

Incruenti sed peiores
Hostes in nos grassitant;
Vitae brevis nunc amores,
Nunc metus nos incitant.
Ne mortalem metuamus,
Tu, Deus, metuere;
Ne caduca diligamus
Da nos te diligere. Amen.

89.

IN FESTO ENCAENIORUM.

Urbs Hirusalem beata, dicta pacis visio,
Quae construitur in coelis vivis ex lapidibus
Et angelis coornata ut sponsata comite.

Nova veniens e coelo nuptiali thalamo
Praeparata ut sponsata copuletur domino,
Plateae et muri eius ex auro purissimo.

Portae nitent margaritis adytis patentibus
Et virtute meritorum illuc introducitur
Omnis qui ob Christi nomen hic in mundo
premitur.

I *

Tunsionibus, pressuris expoliti lapides
Suis coaptantur locis per manum artificis,
Disponuntur permansuri sacris aedificiis.

Angulare fundamentum lapis Christus missus est
Qui pariete compage in utroque nectitur,
Quem Sion sancta suscepit, in quo credens
permanet.

Omnis illa Deo sacra et dilecta civitas
Plena modulis in laude et canoro iubilo,
Trinum Deum unicumque cum favore prae-
dicat.

Hoc in templo, summe Deus, exoratus ad-
veni
Et clemente bonitate precum vota suscipe,
Largam benedictionem hic infunde iugiter.

Hic promereantur omnes petita accipere
Et adepta possidere cum sanctis perenniter,
Paradisum introire, translati in requiem.

DE MORTE MUNDIQUE VANITATE.

90.

Media vita in morte sumus:
Quem quaerimus adiutorem nisi te, domine
Qui pro peccatis nostris iuste irasceris:

Sancte Deus, sancte fortis, sancte et mise-
ricors salvator:
Amarae morti ne tradas nos.

91.

Iam moesta quiesce querela,
Lacrimas suspendite matres;
Nullus sua pignora plangat,
Mors haec reparatio vitae est.

Quidnam sibi saxa cavata,
Quid pulchra volunt monumenta,
Res quod nisi creditur illis
Non mortua, sed data somno.

Nam quod requiescere corpus
Vacuum sine mente videmus,
Spatium breve restat ut alti
Repetat collegia sensus.

Venient cito saecula, cum iam
Socius calor ossa revisat,
Animataque sanguine vivo
Habitacula pristina gestet.

Quae pigra cadavera pridem
Tumulis putrefacta iacebant,
Volucres rapientur in auras
Animas comitata priores.

Sic semina sicca virescunt
Iam mortua, iamque sepulta
Quae reddita cespite ab imo
Veteres meditantur aristas.

Nunc suscipe terra fovendum
Gremioque hunc concipe molli:
Hominis tibi membra sequestro,
Generosa et fragmina credo.

Animae fuit haec domus olim,
Factoris ab ore creatae;
Fervens habitavit in istis
Sapientia principe Christo.

Tu depositum tege corpus:
Non immemor ille requiret
Sua munera fictor et auctor
Propriique aenigmata vultus.

Veniant modo tempora iusta
Quum spem Deus impleat omnem,
Reddas patefacta necesse est
Qualem tibi trado figuram.

92.

Gravi me terrore pulsas vitae dies ultima;
Moeret cor, solvuntur renes, laesa tremunt
viscera,
Tuam speciem dum sibi mens depingit anxia.

Quis enim pavendum illud explicet spectaculum,
Quum dimenso vitae cursu carnis aegra
  nexibus
Anima luctatur solvi propinquans ad exitum.

Perit sensus, lingua riget, resolvuntur oculi,
Pectus palpitat, anhelat raucum guttur hominis,
Stupent membra, pallent ora, decor abit
  corporis.

Praesto sunt et cogitatus, verba, cursus,
  opera
Et prae oculis nolentis glomerantur omnia:
Illuc tendat, huc se vertat, coram videt
  posita.

Torquet ipsa reum sinum mordax conscientia,
Plorat, apta corrigendi defluxisse tempora,
Plena luctu caret fructu sera poenitentiae.

Falsa tunc dulcedo carnis in amarum vertitur
Quando brevem voluptatem perpes poena
  sequitur:
Iam quod magnum credebatur nil fuisse
  cernitur.

Atque mens in summae lucis gloriam ex-
  tollitur,
Aspernatur lutum carnis quo mersa provol-
  vitur,
Et ut carcerati nexu laetabunda solvitur.

Quaeso Christe rex invicte, tu succurre
misero,
Sub extrema mortis hora quum iussus abiero,
Nullum in me ius tyranno praebeatur impio.

Cadat princeps tenebrarum, cadat pars tartarea;
Pastor ovem iam redemptam tunc reduc ad
patriam,
Ubi te videndi causa perfruar in saecula.

93.

Cur mundus militat sub vana gloria,
Cuius prosperitas est transitoria?
Tam cito labitur eius potentia,
Quam vasa figuli, quae sunt fragilia.

Plus crede literis scriptis in glacie,
Quam mundi fragilis vanae fallaciae!
Fallax in praemiis virtutis specie,
Quae nunquam habuit tempus fiduciae.

Dic, ubi Salomon, olim tam nobilis,
Vel ubi Sampson est, dux invincibilis?
Vel pulcher Absalon, vultu mirabilis,
Vel dulcis Ionathas, multum amabilis?

Quo Caesar abiit, celsus imperio?
Vel Xerxes splendidus, totus in prandio?

Dic ubi Tullius, clarus eloquio?
Vel Aristoteles, summus ingenio?

Tot clari proceres, tot rerum spatia,
Tot ora praesulum, tot regna fortia,
Tot mundi principes, tanta potentia,
In ictu oculi clauduntur omnia.

Quam breve festum est haec mundi gloria!
Ut umbra hominis, sic eius gaudia,
Quae semper subtrahunt aeterna praemia,
Et ducunt hominem ad rura devia.

O esca vermium, o massa pulveris,
O ros, o vanitas, cur sic extolleris?
Ignoras penitus, utrum cras vixeris;
Benefac omnibus, quamdiu poteris!

Haec mundi gloria, quae magni penditur,
Sacris in literis flos foeni dicitur;
O leve folium, quod vento rapitur!
Sic vita hominis hac via tollitur.

Nil tuum dixeris, quod potes perdere!
Quod mundus tribuit, intendit rapere.
Superna cogita! cor sit in aethere!
Felix, qui poterit mundum contemnere!

94.

Audi tellus, audi magni maris limbus,
Audi omne, quod vivit sub sole,
Huius mundi decus et gloria
Quam sint falsa et transitoria,
Ut testantur haec temporalia,
Non in uno statu manentia.
Nulli valet regalis dignitas,
Nulli valet corporis quantitas.
Nulli artium valet profunditas,
Nulli magnae valent divitiae,
Nullum salvat genus aut species,
Nulli prodest auri congeries.
Transierunt rerum materies,
Ut a sole liquescit glacies.
Ubi Plato, ubi Porphyrius;
Ubi Tullius aut Virgilius;
Ubi Thales, ubi Empedocles
Aut egregius Aristoteles;
Alexander ubi rex maximus;
Ubi Hector Troiae fortissimus;
Ubi David rex doctissimus;
Ubi Salomon prudentissimus;
Ubi Helena Parisque roseus —
Ceciderunt in profundum ut lapides:
Quis scit, an detur eis requies.
Sed tu, Deus, rector fidelium,
Fac te nobis semper propitium,
Quum de malis fiet iudicium.

95.

Parendum est, cedendum est,
Claudenda vitae scena;
Est iacta sors, me vocat mors,
Haec hora est postrema!
Valete res, valete spes:
Sic finit cantilena.

O magna lux, sol mundi dux!
Est concedendum fatis;
Duc lineam eclipticam:
Mihi luxisti satis!
Nox incubat; fax occidit;
Iam portum subit ratis.

Tu cithara argentea,
Vos aurei planetae,
Cum stellulis ocellulis
Nepotibus lucete!
Fatalia, lethalia
Mihi nunciant cometae.

Ter centies, ter millies
Vale immunde munde!
Instabilis et labilis
Vale, orbis rotunde;
Mendaciis, fallaciis
Lusisti me abunde.

Lucentia, fulgentia
Gemmis valete tecta,

Seu marmore, seu ebore
Supra nubes erecta!
Ad parvulum me loculum
Mors urget equis vecta.

Lucretiae, quae specie
Gypsata me cepistis,
Imagines, voragines,
Quae mentem sorbuistis,
En oculos, heu! scopulos,
Extinguit umbra tristis.

Tripudia, diludia
Et fescennini chori,
Quiescite, raucescite!
Praeco divini fori,
Mors intonat et insonat
Hunc lessum: debes mori!

Deliciae, laetitiae
Mensarum cum culina,
Cellaria, bellaria
Et coronata vina:
Vos nauseo! dum haurio
Quem scyphum mors propinat.

Facessite, putrescite
Odores vestimenti!
Rigescite, o deliciae,
Libidinum fomenta!
Deformium me vermium
Manent operimenta.

O culmina, heu! fulmina,
Horum fugax honorum
Tam subito dum subeo
Aeternitatis domum.
Ridiculi sunt tituli
Foris et agunt momum.

Lectissimi, carissimi
Amici et sodales!
Heu! insolens et impudens
Mors interturbat sales.
Sat lusibus indulsimus:
Extremum dico vale!

Tu denique corpus vale!
Te, te citabit totum:
Te conscium, te socium
Dolorum et gaudiorum!
Aequalis nos exspectat sors
Bonorum vel malorum.

DE EXTREMO IUDICIO.

96.

Apparebit repentina dies magna domini,
Fur obscura velut nocte improvisos occupans.
Brevis totus tum parebit prisci luxus saeculi,
Totum simul cum clarebit praeterisse sae-
culum.

Clangor tubac per quaternas terrae plagas
concinens,
Vivos una mortuosque Christo ciet obviam.
De coelesti iudex arce, maiestate fulgidus
Claris angelorum choris comitatus aderit:
Erubescct orbis lunae, sol et obscurabitur,
Stellae cadent pallescentes, mundi tremet
ambitus;
Flamma, ignis anteibit iusti vultum iudicis,
Coelos, terras et profundi fluctus ponti de-
corans.
Gloriosus in sublimi rex sedebit solio,
Angelorum tremebunda circumstabunt agmina.
Huius omnes ad electi colligentur dexteram,
Pravi pavent a sinistris hoedi velut foetidi:
Ite, dicit rex ad dextros, regnum coeli sumite,
Pater vobis quod paravit ante omne saeculum;
Caritate qui fraterna me iuvistis pauperem,
Caritatis nunc mercedem reportate divites.
Laeti dicent: quando Christe pauperem te
vidimus,
Te rex magne vel egentem miserati iuvimus:
Magnus illis dicet iudex: cum iuvistis pau-
peres,
Panem, domum, vestem dantes, me iuvistis
humiles.
Nec tardabit et sinistris loqui iustus arbiter:
In gehennae maledicti flammas hinc discedite;
Obsecrantem me audire despexistis mendi-
cum,

Nudo vestem non dedistis, neglexistis lan-
guidum.
Peccatores dicent: Christe, quando te vel
pauperem,
Te, rex magne, vel infirmum contemnentes
sprevimus.
Quibus contra iudex altus: mendicanti quam-
diu
Opem ferre despexistis, me sprevistis im-
probi.
Retro ruent tum iniusti ignes in perpetuos,
Vermis quorum non morietur, flamma nec
restinguitur,
Satan atro cum ministris quo tenetur carcere,
Fletus ubi mugitusque, strident omnes den-
tibus.
Tunc fideles ad coelestem sustollentur pa-
triam,
Choros inter angelorum regni petent gaudia,
Urbis summae Hirusalem introibunt gloriam
Vera lucis atque pacis in qua fulget visio.
Christum regem iam paterna claritate splen-
didum
Ubi celsa beatorum contemplantur agmina
Ydri fraudes ergo cave, infirmantes subleva,
Aurum temne, fuge luxus si vis astra petere,
Zona clara castitatis lumbos nunc praecingere,
In occursum magni regis fer ardentes lam-
pades.

Dies irae, dies illa,
Solvet saeclum in favilla,
Teste David cum Sibylla.

Quantus tremor est futurus,
Quando iudex est venturus,
Cuncta stricte discussurus?

Tuba mirum spargens sonum,
Per sepulcra regionum,
Coget omnes ante thronum.

Mors stupebit et natura,
Cum resurget creatura,
Iudicanti responsura.

Liber scriptus proferetur,
In quo totum continetur,
Unde mundus iudicetur.

Iudex ergo cum sedebit,
Quidquid latet, apparebit,
Nil inultum remanebit.

Quid sum miser tunc dicturus,
Quem patronum rogaturus,
Cum vix iustus sit securus?

Rex tremendae maiestatis,
Qui salvandos salvas gratis,
Salva me, fons pietatis.

Recordare, Iesu pie,
Quod sum causa tuae viae:
Ne me perdas illa die.

Quaerens me sedisti lassus,
Redemisti crucem passus:
Tantus labor non sit cassus.

Iuste iudex ultionis,
Donum fac remissionis
Ante diem rationis.

Ingemisco tanquam reus,
Culpa rubet vultus meus:
Supplicanti parce Deus.

Qui Mariam. absolvisti,
Et latronem exaudisti,
Mihi quoque spem dedisti.

Preces meae non sunt dignae,
Sed tu bonus fac benigne,
Ne perenni cremer igne.

Inter oves locum praesta,
Et ab hoedis me sequestra,
Statuens in parte dextra.

Confutatis maledictis,
Flammis acribus addictis;
Voca me cum benedictis.

Oro supplex et acclinis,
Cor contritum, quasi cinis:
Gere curam mei finis.

Hymn.   X

Lacrimosa dies illa,
Qua resurget ex favilla,
Iudicandus homo reus :
Huic ergo parce Deus!
Pie Iesu Domine,
Dona eis requiem.   Amen.

DE COELI BEATUDINE.

98.

Ad perennis vitae fontem sitit nunc mens
arida,
Claustra carnis praesto frangi clausa quaerit
anima :
Gliscit, ambit, eluctetur exul frui patria.

Dum pressuris ac aerumnis se gemit ob-
noxiam,
Quam amisit, dum deliquit, contemplatur
gloriam
Praesens malum auget boni perditi memoriam.

Nam quis promat summae pacis quanta sit
laetitia,
Ubi vivis margaritis surgunt aedificia,
Auro celsa micant tecta, radiant triclinia :

Solis gemmis pretiosis haec structura nectitur,
Auro mundo tanquam vitro urbis via sternitur ;
Abest limus, deest fimus, lues nulla cernitur.

Hiems horrens, aestas torrens illic nunquam
saeviunt;
Flos purpurens rosarum ver agit perpetuum.
Candent lilia, rubescit crocus, sudat balsa-
mum.

Virent prata, vernant sata, rivi mellis in-
fluunt;
Pigmentorum spirat odor, liquor et aromatum;
Pendent poma floridorum non lapsura ne-
morum.

Non alternat luna vices sol vel cursus siderum;
Agnus est felicis urbis lumen inocciduum,
Nox et tempus desunt ei, diem fert conti-
nuum.

Nam et sancti quique velut sol praeclarus
rutilant,
Post triumphum coronati mutue coniubilant
Et prostrati pugnas hostis iam securi nume-
rant.

Omni labe defaecati carnis bella nesciunt,
Caro facta spiritalis et mens unum sentiunt,
Pace multa perfruentes scandalum non per-
ferunt.

Mutabilibus exuti repetunt originem,
Et praesentem veritatis contemplantur spe-
ciem,
Hinc vitalem vivi fontis hauriunt dulcedinem.

Inde statum semper idem existendi capiunt,
Clari, vividi, iucundi nullis patent casibus:
Absunt morbi semper sanis, senectus iuve-
nibus.

Hinc perenne tenent esse, nam transire transiit;
Inde virent, vigent, florent: corruptela corruit,
Immortalitatis vigor mortis ius absorbuit.

Qui scientem cuncta sciunt, quid nescire ne-
queunt;
Nam et pectoris arcana penetrant alterutrum,
Unum volunt, unum nolunt, unitas est mentium.

Licet cuiquam sit diversum pro labore me-
ritum
Caritas hoc facit suum quod amat in altero:
Proprium sic singulorum fit commune omnium.

Ubi corpus, illic iure congregantur aquilae,
Quo cum angelis et sanctae recreantur ani-
mae,
Uno pane vivunt cives utriusque patriae.

Avidi et semper pleni quod habent desiderant,
Non satietas fastidit, neque fames cruciat:
Inhiantes semper edunt et edentes inhiant.

Novas semper melodias vox meloda concrepat,
Et in iubilum prolata mulcent aures organa,
Digna per quem sunt victores regni dant
praeconia.

Felix coeli qui praesentem regem cernit anima
Et sub sede spectat alta orbis volvi machinam,
Solem, lunam et globosa cum planetis sidera.

Christe, palma bellatorum, hoc in municipium
Introduc me post solutum militare cingulum:
Fac consortem donativi beatorum civium.

Probes vires inexhausto laboranti proelio,
Nec quietem post procinctum deneges emerito,
Teque merear potiri sine fine praemio.

IUBILI HOMINUM ET ANGELORUM.

99.

Te Deum laudamus, te Dominum confitemur.
Te aeternum Patrem omnis terra veneratur.
Tibi omnes Angeli, tibi coeli et universae
Potestates,
Tibi Cherubim et Seraphim incessabili voce
proclamant:
Sanctus, Sanctus, Sanctus Dominus Deus
Sabaoth,
Pleni sunt coeli et terra maiestatis gloriae tuae.

Te gloriosus Apostolorum chorus,
Te Prophetarum laudabilis numerus,
Te Martyrum candidatus laudat exercitus.
Te per orbem terrarum sancta confitetur Ec-
clesia,
Patrem immensae maiestatis,
Venerandum tuum verum et unicum Filium,
Sanctum quoque Paraclitum Spiritum.
Tu Rex gloriae, Christe,
Tu Patris sempiternus es Filius.
Tu ad liberandum suscepturus hominem non
horruisti Virginis uterum.
Tu devicto mortis aculeo aperuisti credenti-
bus regna coelorum.
Tu ad dexteram Dei sedes in gloria Patris.
Iudex crederis esse venturus.
Te ergo quaesumus, famulis tuis subveni,
quos pretioso sanguine redemisti.
Aeterna fac cum sanctis tuis gloria mu-
nerari.
Salvum fac populum tuum, Domine, et be-
nedic hereditati tuae.
Et rege eos, et extolle illos usque in ae-
ternum.
Per singulos dies benedicimus te
Et laudamus nomen tuum in saeculum et in
saeculum saeculi.
Dignare, Domine, die isto sine peccato nos
custodire.
Miserere nostri, Domine, miserere nostri.

Fiat misericordia tua, Domine, super nos,
    quemadmodum speravimus in te.
In te, Domine, speravi, non confundar in
    aeternum.

100.

Gloria in excelsis Deo,
Et in terra pax, hominibus bonae voluntutis.
Laudamus te,
Benedicimus te,
Adoramus te,
Glorificamus te,
Gratias agimus tibi propter magnam gloriam
    tuam,
Domine Deus rex coelestis, Deus pater om-
    nipotens,
Domine fili unigenite, Iesu Christe,
Domine Deus, agnus Dei, filius patris:
Qui tollis peccata mundi, miserere nobis,
Qui tollis peccata mundi, suscipe deprecatio-
    nem nostram:
Qui sedes ad dexteram patris, miserere nobis:
Quoniam tu solus sanctus,
Tu solus Dominus,
Tu solus altissimus, Iesu Christe,
Cum sancto spiritu in gloria Dei patris.
    Amen.

Druck von Otto Hendel in Halle.

Inhalt.